Jacky GIRARDET

PANORAMA 3

DE LA LANGUE FRANÇAISE

Cahier d'exercices

CLE
INTERNATIONAL

Sommaire

UNITÉ 1
Vocabulaire 4
Grammaire 8
Écrit 10
Littérature 12

UNITÉ 2
Vocabulaire 14
Grammaire 17
Écrit 20
Littérature 22

UNITÉ 3
Vocabulaire 24
Grammaire 27
Écrit 29
Littérature 33

UNITÉ 4
Vocabulaire 34
Grammaire 37
Écrit 40
Littérature 42

UNITÉ 5
Vocabulaire 44
Grammaire 47
Écrit 50
Littérature 52

UNITÉ 6
Vocabulaire 54
Grammaire 57
Écrit 60
Littérature 63

UNITÉ 7
Vocabulaire 66
Grammaire 69
Écrit 71
Littérature 74

UNITÉ 8
Vocabulaire 76
Grammaire 79
Écrit 81
Littérature 84

UNITÉ 9
Vocabulaire 86
Grammaire 89
Écrit 91
Littérature 94

UNITÉ 10
Vocabulaire 96
Grammaire 99
Écrit 101
Littérature 104

UNITÉ 11
Vocabulaire 106
Grammaire 109
Écrit 111
Littérature 114

UNITÉ 12
Vocabulaire 116
Grammaire 119
Écrit 121
Littérature 126

Introduction

Ce cahier d'exercices fait partie de l'ensemble PANORAMA (niveau III), méthode de français pour grands adolescents et adultes ayant déjà suivi un enseignement de 250 heures environ.

Pour chacune des douze unités du livre, il propose une série d'exercices complémentaires dans les domaines suivants :

- Rubrique **Vocabulaire** : exploration des thèmes présentés dans le livre de l'élève, travail de recherche, de réemploi, d'ajustement sémantique, de production par dérivation, etc.

- Rubrique **Grammaire** : exercices de systématisation et de renforcement des points de vue grammaire développés dans le livre.

- Rubrique **Écrit** : développement des stratégies de compréhension des textes ; développement de la capacité de saisir et à reformuler les informations principales présentées dans différents types de textes, commentaires des faits et des idées.

Cette rubrique propose par ailleurs des activités guidées d'expression et de production de textes correspondant à des situations courantes.

Elle prépare tout particulièrement aux deux épreuves écrites de l'unité A3 du DELF : analyse du contenu d'un texte (écrit 1), demande d'information sur un sujet simple de la vie courante (écrit 2).

- Rubrique **Littérature** : sur des extraits d'œuvres importantes et qui complètent le panorama de la littérature française ébauché dès le niveau I, travail de compréhension du texte conduisant progressivement à la prise de conscience et à la formulation de sa spécificité littéraire.

La quasi totalité des exercices proposés dans ce cahier peut se faire en autonomie mais de nombreuses activités ayant des textes pour support peuvent également se prêter à une exploitation collective.

UNITÉ 1

VOCABULAIRE

1 Nommer les actions

a. Le rédacteur en chef d'un journal de province propose des sujets d'articles à des journalistes. Imaginez les titres de ces articles en transformant les verbes soulignés en noms. Utilisez les suffixes présentés dans le tableau ci-dessous.

Exemple : Projet de jumelage entre Pise en Italie et notre ville.

Voici des sujets d'articles à vous répartir :

- On projette de jumeler notre ville avec Pise en Italie.
- Les impôts locaux ont augmenté.
- Une salle de cinéma multiplexe va s'ouvrir dans la banlieue sud.
- Un accord a été signé entre les chauffeurs de bus en grève et la municipalité.
- Le réalisateur Claude Zidi tourne un film dans notre région.
- Une femme a été agressée dans un jardin public.
- Le directeur du théâtre a démissionné.
- L'enseignement des langues étrangères aux adultes se développe dans notre région.

b. Un verbe peut produire plusieurs noms dérivés qui ont chacun un sens particulier. Complétez avec le nom qui convient.

- un arrivage – une arrivée

  Tout est prêt pour ... des invités.
  À l'hypermarché Carrefour, on prévoit ... important de produits importés de Chine.

- un intérêt – un intéressement

  L'argent que j'ai placé à la Caisse d'épargne me rapporte 3,5 % d'... .
  Le directeur a promis ... à son personnel si l'entreprise faisait des profits.

- un embarquement – une embarcation

  ... du vol Air France 343 est à 15 h 30.
  Ils ont fait le tour de l'île dans ... de petite taille.

- une doublure – un doublage – un doublement

  En orthographe, ... de la lettre *s* entre deux voyelles produit le son [s].
  ... de ma veste est déchirée.
  Certains comédiens sont spécialisés dans ... des films étrangers.

Formation des noms à partir des verbes (idée d'action)

a. Formation par un suffixe
-ement (noms masculins) : engager → un engagement – renseigner → un renseignement
-(i)(s)sion (noms féminins) : progresser → une progression – s'évader → une évasion
-(a)tion (noms féminins) : améliorer → une amélioration – diminuer → une diminution
-ure (noms féminins) : brûler → une brûlure – peindre → une peinture
-age (noms masculins) : hériter → un héritage – arroser → un arrosage

b. Formation sans suffixe
La forme est proche de la 3e personne du présent ou du participe passé.
sortir → une sortie – offrir → une offre

Remarque : dans une phrase, on peut nommer une action en utilisant l'infinitif ou les expressions « *le fait de* + infinitif », « *le fait que* + subjonctif ».
Partir en première position...
Le fait de partir en première position...
Le fait qu'il soit parti en première position...
} n'a pas avantagé le coureur cycliste.

2 Nommer les qualités

a. Lisez le tableau du bas de la page. Complétez ce que dit le vendeur en transformant les adjectifs en noms.

Vous apprécierez la beauté de ses lignes, la ...

- lignes belles et fines
- carrosserie robuste
- moteur puissant
- tenue de route stable
- conduite souple
- coloris variés

b. Complétez les jugements qu'ils portent sur leur nouvelle collègue. Transformez les adjectifs en noms.

Elle a beaucoup de qualités : sa patience, ... Elle a aussi quelques défauts : ...

- patiente
- prudente
- timide
- gentille
- étourdie
- élégante
- coquette
- efficace
- lente

c. Combinez les deux phrases comme dans l'exemple. Utilisez différentes expressions des remarques des tableaux p. 4 et 5.

Exemple : Le fait qu'il soit arrivé en retard au rendez-vous a irrité le recruteur.

Des parents font des suppositions sur les raisons pour lesquelles leur fils n'a pas été recruté par une entreprise.

- Il est arrivé en retard au rendez-vous. Ça a irrité le recruteur.
- Il n'a pas le bac. Ça l'a désavantagé.
- Il est capricieux. Ça se voit tout de suite.
- C'est un provocateur. Le recruteur n'a sans doute pas apprécié.
- Il était habillé de façon négligée. Ça a sans doute choqué.
- Il parle avec un accent du Sud-Ouest. Ce n'était pas un atout pour ce poste.

Formation des noms à partir des adjectifs (idée de qualité ou d'état)

Les suffixes suivants sont producteurs de noms féminins.

-té (en particulier *-eté* et *-ité*) : propre → la propreté – passif → la passivité
-eur (exprime surtout des qualités physiques) : pâle → la pâleur – long → la longueur
-erie (exprime des qualités psychologiques) : brusque → la brusquerie
-tude (exprime aussi des états psychologiques) : seul → la solitude – inquiet → l'inquiétude
-esse : tendre → la tendresse
-ance (à partir d'un adjectif en *-ant*) ou
-ence (à partir d'un adjectif en *-ent*) : arrogant → l'arrogance – violent → la violence

Remarque : dans une phrase, on peut nommer une qualité ou un état en utilisant les formes suivantes :
– le côté... l'aspect... le caractère...
– « *le fait d'être* + adjectif » / « *le fait qu'il soit* + adjectif » : Le fait qu'elle soit drôle m'a beaucoup plu.

3 Façons de dire

a. **Lisez le texte ci-contre. Notez la construction qui permet de citer les personnes qui parlent. Relevez les verbes qui signifient « dire ». Donnez leur infinitif.**

Ripert, un détective privé, a été agressé par un inconnu. Avec trois collègues (Benedetti, Bock et Georges), il s'interroge sur l'identité de cet homme.

– Brookmeyer est à Clairvaux[1] en ce moment, dit Benedetti. Je pensais plutôt à Olaf.

– Ah oui, tiens, fit Bock, c'est vrai. Olaf.

– Quoi, Olaf? cria Ripert. Je le connais, moi, Olaf, je l'aurais reconnu [...].

– Il était comment, son chapeau? intervint Georges Chave.

On se tourna vers lui: Ripert hostile, Bock circonspect, Benedetti rêveur.

– Son chapeau, à ce type, répéta Georges, il ressemblait à quoi?

– Un chapeau mou, répondit Ripert d'une voix contrainte. Mou et petit [...].

– Est-ce qu'il parlait ce type? Est-ce qu'il a dit quelque chose?

– Pratiquement rien, résuma Ripert. C'était difficile à comprendre.

Jean Echenoz, *Cherokee*, Éditions de Minuit, 1983.

1. Nom d'une prison.

b. **Dans le dialogue suivant, remplacez le groupe en italique par un verbe de la liste.**

La concierge est tombée dans l'escalier.

Vers 21 h, Madeleine entendit sonner à sa porte.

- Qui est là ? *dit*-elle.

  Une voix *presque inaudible lui dit*:

- Mademoiselle Sik...
- Comment ? *dit* Madeleine *avec force*. Vous pouvez *dire à nouveau* votre nom ? Je n'ai pas compris.
- Mademoiselle Sikanovitch, votre gardienne, *dit* la voix.
- Ah ! C'est vous ! Entrez donc ! *dit joyeusement* Madeleine. Mais qu'est-ce qu'il vous est arrivé ? Vous êtes blessée ? *dit-elle étonnée*.
- Je suis tombée dans l'escalier. C'est un homme qui descendait à toute vitesse et qui m'a poussée. Je crois bien que c'est monsieur Rigaud, *dit* la gardienne.
- Impossible, *dit* Madeleine. Monsieur Rigaud est parti en vacances.

- crier
- demander
- s'étonner
- s'exclamer
- expliquer
- murmurer
- raconter
- répéter
- rétorquer

4 Expressions imagées avec le mot « langue »

Réécrivez les passages soulignés en utilisant les expressions de la liste.

- Tiens, hier j'ai aperçu le copain de Florence. Depuis, je cherche son nom. <u>Mais j'abandonne la recherche</u>.
- Attends, il s'appelle Patrick Da... quelque chose. <u>Son nom va me revenir</u>... Mais je vois de qui il s'agit. <u>Un type bavard</u>... mais en même temps <u>très médisant</u>. Un jour, il était en face de moi à un dîner. Il n'a pas arrêté de dire du mal de tout le monde. Et c'est le genre de type à qui il vaut mieux ne pas confier un secret. <u>Il serait incapable de le garder</u>.
- Remarque, il est bien assorti avec Florence. Parce que, elle aussi, <u>elle a la parole facile et surtout la réplique facile</u>.
- Eh bien figure-toi qu'à ce dîner, elle était à côté de lui. <u>Elle n'a pas ouvert la bouche.</u>

- Avoir avalé sa langue.
- Avoir la langue bien pendue.
- Avoir un mot sur le bout de la langue.
- Donner sa langue au chat.
- Être une mauvaise langue (... une langue de vipère).
- Ne pas avoir sa langue dans sa poche.
- (Ne pas) savoir tenir sa langue.

5 Jeux de mots et publicité

a. Lisez ci-dessous des slogans publicitaires qui sont construits sur un jeu de mots (jeu sur le sens ou les sonorités). Trouvez dans la colonne de droite le produit qui correspond à chacun de ces slogans. Expliquez le jeu de mots.

Exemple : a. → 3. Le jeu de mots porte sur les deux sens du mot *fidèle* : être fidèle à un journal = acheter ce journal régulièrement – un fidèle = un adepte d'une religion.

a. Nos lecteurs sont des fidèles.
b. C'est bien joué.
c. Pour sortir des sentiers battus.
d. Votre meilleur réflexe.
e. Visiblement, c'est mieux.
f. Notre intelligence, vous êtes assis dessus.
g. Le bon temps.
h. Le magazine très en vue.

1. Les appareils photos Olympus
2. Les montres Jaz
3. Le magazine catholique *La Vie*
4. Les jouets Berchet
5. Le magazine *Géo* (reportages géographiques)
6. Les chaussures Koflach
7. Les sièges Eurosit
8. Les lunettes Lissac

b. Dans les publicités suivantes, le jeu de mots porte sur la marque du produit. Expliquez le sens et l'humour de ces slogans.

Exemple : a → signifie : seule la moutarde Maille me convient. Il y a jeu sur les sonorités de Maille et « m'aille » (verbe « aller » = convenir).

a. ***Il n'y a que Maille qui m'aille***

MOUTARDE « MAILLE »

b. ***Mammouth écrase les prix***

HYPERMARCHÉS « MAMMOUTH »

c. ***Lu et approuvé***

BISCUITS « LU »

Voir à l'intérieur du pot de peinture c'est déjà voir son intérieur en peinture.
Les Sensations d'Avi.
La 1ère monocouche couleur en pot transparent.
L'Avi est belle.

d. PEINTURE « AVI »

e. ***Le mot est faible***

APPAREILS ÉLECTROMÉNAGERS « FAURE »

f. ***La vie Auchan***

HYPERMARCHÉS « AUCHAN »

Sources : Thierry Wellhoff, *15 ans de signatures publicitaires*, Dunod, 1991.

GRAMMAIRE

6 Révision des pronoms personnels

a. Complétez avec un pronom personnel remplaçant les personnnes.

Chez Béatrice et John, un couple franco-anglais qui vit à Paris, on parle indifféremment deux langues. Une amie de Béatrice s'étonne...

– Vous parlez à vos enfants en français ou en anglais ?

– Les deux. Moi je ... parle français. Mais John, ..., s'adresse toujours à ... en anglais. Et les enfants ... répondent comme ils le veulent.

– Vous n'avez pas peur que ça ... perturbe ?

– Pas du tout. Regarde Mélanie. Elle a 6 ans. On vient de ... mettre dans une école bilingue et ça se passe très bien. Quant à David qui a 3 ans, le fait d'être en contact avec deux langues ne ... a pas handicapé. Il ... arrive de faire quelques confusions. On ... corrige gentiment. C'est tout.

b. Complétez avec un pronom personnel remplaçant les choses.

Suite de la conversation précédente.

– Comment ça se passe quand tes enfants vont en Angleterre chez leurs grands-parents ?

– Très bien. Ils ... vont trois fois par an, pour les vacances. Ils adorent ces séjours. Ils ... sont habitués. Je crois qu'ils ne pourraient pas s'... passer.

– Et l'anglais que parlent leurs cousins, il n'est pas trop difficile ?

– Ils ... comprennent très bien.

– Il doit pourtant y avoir des expressions locales pas faciles à comprendre.

– Ils ... apprennent très vite.

– Donc ils n'ont pas de problème de communication ?

– J'ai l'impression qu'ils n'... ont aucun.

7 Constructions aves deux pronoms

Reformulez les phrases suivantes en remplaçant les mots soulignés par des pronoms.

Une cliente téléphone à* La Redoute*, société de vente par correspondance.

– Allô ! madame Vial à l'appareil. Mon numéro de cliente est le 75352003.

– Pouvez-vous me répéter <u>votre numéro de cliente</u>. Je n'ai pas bien entendu.

– 75352003... Je vous téléphone parce que je n'ai pas encore reçu mon colis.

– Mais nous vous avons expédié <u>votre colis</u> le 5 octobre.

– C'est étonnant. Si votre livreur était passé en mon absence, il aurait laissé le colis à la gardienne de l'immeuble.

– Bien sûr, il aurait laissé <u>le colis à la gardienne</u>.

– Écoutez, je suis très ennuyée. C'est une jupe-culotte que j'ai commandée pour ma fille. Elle me réclame <u>cette jupe</u> tous les matins. Et nous sommes aujourd'hui le 12.

– Alors, attendez, madame Vial. Nous allons vous expédier une autre <u>jupe</u>. Vous pouvez me donner le numéro de référence de l'article ?

– Je vous donne <u>ce numéro</u> tout de suite...

– Et bien entendu, si vous receviez une deuxième jupe-culotte, vous nous renverriez <u>cette jupe</u>.

– C'est évident. En tout cas, ce que vous faites est très gentil. Je vous suis très reconnaissante <u>de ce que vous faites</u>. Vous savez comment sont les enfants. Ma fille a choisi cette jupe. Nous avons commandé <u>cette jupe</u>. Puis elle a vu ses copines. Elle leur a parlé <u>de cette jupe</u>. Et maintenant, elle veut montrer <u>cette jupe à ses copines</u>...

8 Substitution avec idée de quantité

Un homme politique parle de la pauvreté en France. En vous aidant des statistiques ci-dessous, complétez ses phrases avec les mots de la liste.

« Il existe en France environ 2 millions de personnes à faible revenu. *Certaines* bénéficient du RMI (revenu minimum d'insertion) : environ 3 600 F pour un couple.

Les chiffres montrent que ... des personnes qui bénéficient de cette allocation ont moins de 50 ans et que ... ont entre 25 et 29 ans. En revanche, ... ont plus de 60 ans. On pourra s'étonner que seuls ... des moins de 25 ans touchent le RMI. C'est tout simplement parce que jusqu'à cet âge, il faut avoir des enfants à charge pour en bénéficier.

Si l'on examine maintenant la composition familiale des personnes à faible revenu, on s'aperçoit qu(e) ... est constituée de célibataires sans enfants. ... sont des couples avec enfants, ... des célibataires avec enfants. On ne trouve qu(e) ... de couples avec enfants.

Il est certain que ... les Rmistes souhaitent une amélioration de leur condition mais ... croit au miracle car ... finissent pas trouver un emploi. C'est pourquoi ... se découragent et abandonnent la recherche d'un emploi. »

- tout (tous, etc.)
- la plupart (une forte / faible proportion)
- beaucoup
- la majorité
- une moitié, un quart (la moitié, le quart d'entre eux)
- 17 % d'entre eux
- quelques-un(e)s
- certains
- (très, assez) peu
- aucun(e) ... ne – pas un(e) ... ne

Enquête sur la pauvreté en France

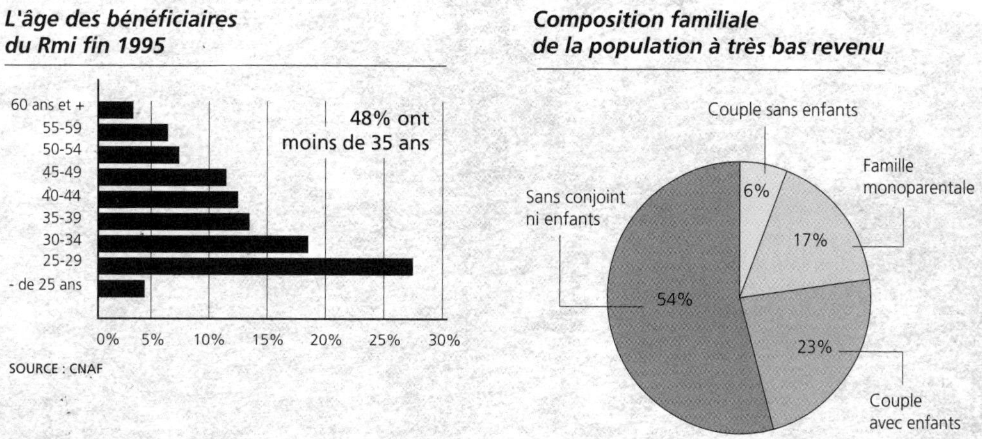

D'après *La Croix*, octobre 1996.

SOURCE : INSEE

- Proportion des Rmistes (bénéficiaires du RMI) qui trouvent un emploi : 23 %
- Proportion des Rmistes qui cherchent sérieusement un emploi : 47 %

9 Substitution d'un nom par un autre nom

Imaginez quels mots on pourrait employer pour éviter les répétitions en italique.

Exemple : 97 % des Français → 97 % des habitants de l'Hexagone.

Les Français et la langue française.

À la demande du ministère de la Culture et de la francophonie, la SOFRES a réalisé un sondage sur l'opinion des Français à propos de la défense *du français*. Les résultats de *ce sondage* montrent que 97 % *des Français* sont très attachés à la langue *française*. Cela n'a rien d'étonnant. Russes et Japonais réagiraient sans doute de la même manière en *Russie et au Japon*.

Ce qui est plus intéressant, c'est que *la SOFRES* a montré que 38 % des Français estiment que le mauvais enseignement *du français* à l'école constituait la première des menaces pesant sur *le français*. En revanche, l'utilisation de mots anglais ou américains n'est pas considérée comme une menace par 52 % des Français si ces termes *anglais ou américains* peuvent enrichir *le français*.

ÉCRIT

10 Faire des hypothèses sur le contenu d'un texte

Titres d'articles de presse

1. Secrets et Mensonges TRIOMPHE À CANNES

2. DÉPÔT DE BILAN du QUOTIDIEN INFO MATIN

3. FOKKER FERME SES PORTES : 5 664 LICENCIÉS

4. ■ Un coq est accusé de tapage nocturne.

5. Un tableau de Van Gogh sans acheteur •••••••••

6. Des ours réintroduits en Haute-Garonne

7. VISITE ROYALE pour CHIRAC en ANGLETERRE

Source : *Chroniques de l'année 1996*, Jacques Legrand SA, 1997.

Premières phrases d'articles.

a. L'un des plus prestigieux palaces de la capitale, le George V, a accueilli ce soir une vente aux enchères de très haut niveau.

b. Le président français, à défaut d'avoir été entendu, peut se targuer d'avoir séduit les Britanniques.

c. C'est sur les terres boisées de la commune de Melles que Giva est relâchée.

d. Le Britannique Mike Leigh avait déjà préparé le terrain en 1993 en obtenant le prix de la mise en scène pour *Naked*.

e. La presse quotidienne française ne connaît pas la santé florissante de ses consœurs étrangères.

f. La doyenne des firmes européennes d'aéronautique est officiellement déclarée en faillite.

g. La cour d'appel doit se prononcer sur les vocalises intempestives et nocturnes de Renato, 4 ans et toutes ses plumes.

a. **Vous trouverez ci-dessus le titre et la première phrase de sept articles de presse écrits en 1996. Reliez le titre et la première phrase.**

Exemple : 1. → d

b. **À partir du titre et de la première phrase, faites des hypothèses sur le contenu de l'article. Notez-les dans le tableau suivant :**

	Évènement relaté dans l'article	Acteurs de cet évènement	Autres informations
1	Un film (*Secrets et Mensonges*) a eu du succès au festival de Cannes.	Le réalisateur du film, Mike Leigh (britannique).	Le film a eu le premier prix (Palme d'or).

c. **Voici des mots relevés dans ces articles. Dans quel article chacun a-t-il été relevé ?**

- *Personnes :* un acteur : 1. – un commissaire-priseur … – des critiques … – des écologistes … – un expert … – la foule … – les lecteurs … – un P-DG … – un prince … – une reine … – les salariés … – les voisins …
- *Choses :* un avion … – une cage … – un film … – une galerie … – un journal … – un marteau … – une vallée …
- *Actions ou états :* applaudir … – authentifier … – capturer … – chanter … – être en faillite … – être reçu … – licencier …

Évolution de la langue de bois : de *l'euphémisme au sigle*

[...] La « pensée politiquement correcte » a déferlé sur la langue, en donnant tout d'abord l'impression d'une certaine délicatesse. Il pouvait en effet sembler délicat de ne plus nommer *vieux* les vieux, même si le fait de les classer dans le *troisième âge* ne les rajeunissait pas. Et pourquoi ne pas appeler les aveugles *non-voyants* : cela ne leur donnait certes pas la vue, mais ne mangeait pas de pain[1] [...].

De remplacement en remplacement, ou de synonymie en synonymie, c'est cependant une véritable langue de bois qui se mettait en place. Car, peu à peu, cette tendance évoluait vers une distorsion des réalités. Ainsi, faire des sourds des *mal-entendants* (et non pas des *non-entendants*) ne consistait plus à dire les choses différemment mais à dire des choses différentes : les *mal-entendants* sont des demi-sourds, ou des sourds légers, tandis que les sourds profonds n'entendent pas et sont donc *non-entendants*. Le procédé évoluait ainsi jusqu'à devenir à la fois ridicule (lorsque les balayeurs deviennent des *techniciens de surface*) et malhonnête (lorsqu'on feint de croire que le fait d'appeler *African American* plutôt que *Black American* les Noirs américains change quoi que ce soit à leur situation...).

C'est ainsi qu'il n'y a plus en France de clochards ou de malheureux mais des *sans domicile fixe*, puis des SDF, ou que les maladies vénériennes sont d'abord devenues des *maladies sexuellement transmissibles* puis des MST. Et l'on peut se demander s'il y a du respect pour les gens ou du mépris pour les réalités dans le fait de nommer *techniciens de surface* les gens que nous payons (mal) pour nettoyer nos déchets, *SDF*[2] les « clodos » ou *PMA*[3] les pays dans lesquels on crève de faim. En fait, les sigles viennent aujourd'hui à la rescousse[4] de la langue de bois. Après avoir opéré une sorte de blanchissage sémantique en donnant un peu de lustre, de poli, à des notions que l'on voulait redorer ou atténuer (la vieillesse, la surdité, la misère, etc.), on les rend définitivement opaques en remplaçant les mots par leurs initiales.

Louis-Jean Calvet, *Le Français dans le Monde*, avril 1996.

1. Cela ne mange pas de pain (fam.) : cela ne coûte pas un gros effort – **2.** SDF : sans domicile fixe – **3.** PMA : pays les moins avancés – **4.** Venir au secours de...

a. Lisez le titre et les deux premières phrases. Faites des suppositions sur le contenu de l'article.

« Cet article va probablement traiter de... »

b. En lisant l'article, relevez les changements dans la manière de nommer. Trouvez une justification à ces nouvelles formulations.

Exemple : un vieux → une personne du troisième âge. Notre époque ne veut pas vieillir. Le terme « vieux » est donc devenu dévalorisant. « Troisième âge » suppose un « quatrième âge », on est donc moins vieux.

c. Notez et caractérisez les étapes de l'évolution décrite dans cet article.

1. l'époque des euphémismes (vieux → troisième âge). Il s'agit d'atténuer une réalité trop dure (délicatesse).

2. ...

d. L'auteur de l'article vous paraît-il favorable ou défavorable à cette évolution du langage ? Notez ce qui montre qu'il prend position.

LITTÉRATURE

12 Les écrivains jouent avec le langage

Anton Voyl n'arrivait pas à dormir. Il alluma. Son Jaz marquait minuit vingt. Il poussa un profond soupir, s'assit dans son lit, s'appuyant sur son polochon. Il prit un roman, il l'ouvrit, il lut ; mais il n'y saisissait qu'un imbroglio confus, il butait à tout instant sur un mot dont il ignorait la signification.

Il abandonna son roman sur son lit. Il alla à son lavabo ; il mouilla un gant qu'il passa sur son front, sur son cou.

Son pouls battait trop fort. Il avait chaud. Il ouvrit son vasistas, scruta la nuit. Il faisait doux. Un bruit indistinct montait du faubourg. Un carillon, plus lourd qu'un glas, plus sourd qu'un tocsin, plus profond qu'un bourdon, non loin, sonna trois coups. Du canal Saint-Martin, un clapotis plaintif signalait un chaland qui passait.

Georges Perec, *La Disparition*, Denoël, 1969.

a. Le roman.

- **Lisez la première page du roman de Georges Perec *La Disparition*. Résumez la situation présentée :** « Il s'agit de... »
- **Cherchez dans le texte les mots qui ont été mis à la place des mots suivants :**

un réveil – un traversin – une histoire – une fenêtre – une banlieue – une horloge – une péniche (un bateau).

- **Relevez les mots ou expressions qui vous paraissent bizarres, les phrases qui vous paraissent incomplètes, les mots ou les formes grammaticales que l'auteur a évité d'utiliser.**

Exemples : Anton → à la place d'Antoine – *Voyl* → nom étrange
Il alluma → on attend : « Il alluma la lampe de chevet. »

- **En observant les substitutions que vous avez relevées, découvrez ce que Georges Perec a voulu faire « disparaître » dans son roman.**

je elle
elle je
nous nous
nous
nous nous
elle je
je elle
je

Jean-Claude Martin, *Mini*,
L'Harmattan, 1973.

b. La poésie.

- **Imaginez l'histoire racontée par ce poème de Jean-Claude Martin. Donnez-lui un titre.**
- **Imaginez un poème visuel à la manière de Jean-Claude Martin en utilisant des mots d'une seule catégorie grammaticale (pronoms ou adjectifs possessifs, verbes à l'infinitif, noms sans articles, etc.).**

c. **Le théâtre.**

- **Lisez ce début de pièce de théâtre. Résumez la situation :** « Le début de la pièce met en scène deux personnes... qui... ».
- **Que remarquez-vous à propos de chaque phrase ? Qu'apporte cette particularité :**

– à la psychologie des personnages ?

– à une réflexion sur le langage ?

- **Complétez les répliques des personnages. Imaginez une suite à ce dialogue dans le même style. Par exemple, A et B vont se déclarer leur amour à demi-mot.**

A : Vous savez, il y a longtemps que...

B : ...

Monsieur A et Madame B, personnages quelconques mais pleins d'élan (comme s'ils étaient toujours sur le point de dire quelque chose d'explicite), se rencontrent dans une rue quelconque, devant la terrasse d'un café.

MONSIEUR A, *avec chaleur* : Oh ! Chère amie. Quelle chance de vous...
MADAME B, *ravie* : Très heureuse, moi aussi. Très heureuse de... vraiment oui !
MONSIEUR A : Comment allez-vous, depuis que ?...
MADAME B, *très naturelle* : Depuis que ? Eh ! Bien ! J'ai continué, vous savez, j'ai continué à...
MONSIEUR A : Comme c'est !... Enfin, oui vraiment, je trouve que c'est...
MADAME B, *modeste* : Oh, n'exagérons rien ! C'est seulement, c'est uniquement... Je veux dire : ce n'est pas tellement, tellement...
MONSIEUR A, *intrigué, mais sceptique* :.Pas tellement, pas tellement, vous croyez ?
MADAME B, *restrictive* : Du moins je le... je, je, je... Enfin !...
MONSIEUR A, *avec admiration* : Oui, je comprends : vous êtes trop, vous avez trop de...
MADAME B, *toujours modeste, mais flattée* : Mais non, mais non : plutôt pas assez...
MONSIEUR A, *réconfortant* : Taisez-vous donc ! Vous n'allez pas nous... ?
MADAME B, *riant franchement* : Non ! Non ! Je n'irai pas jusque-là !

Un temps très long. Ils se regardent l'un l'autre en souriant.

MONSIEUR A : Mais au fait ! Puis-je vous demander où vous... ?
MADAME B, *très précise et décidée* : Mais pas de ! Non, non, rien, rien. Je vais jusqu'au, pour aller chercher mon. Puis je reviens à la.
MONSIEUR A, *engageant et galant, offrant son bras* : Me permettez-vous de... ?
MADAME B : Mais, bien entendu ! Nous ferons ensemble un bout de.
MONSIEUR A : Parfait, parfait ! Alors, je vous en prie. Veuillez passer par ! Je vous suis. Mais, à cette heure-ci, attention à, attention aux !

Jean Tardieu, « Finissez vos phrases ! ou Une rencontre heureuse », *in La Comédie du langage*, Gallimard, 1987.

UNITÉ 2

VOCABULAIRE

1 Évènements et acteurs de l'Histoire

a. **Lisez ces « nouvelles brèves » de l'histoire de France.**
Complétez le tableau en utilisant des formes nominales (pas de verbe conjugué).

Type d'évènement	Acteurs	Causes de l'évènement	Conséquences
…	…	…	…

b. **Donnez un titre à chaque article et datez-le en choisissant parmi les dates suivantes :**

177 – 732 – 1137 – 1661 – 1804

c. **Imaginez deux nouvelles brèves en vous inspirant des illustrations suivantes.**

1.

Des ouvriers de l'industrie textile de la ville de Lyon se sont révoltés et ont failli jeter dans le Rhône Joseph-Marie Jacquard, inventeur du métier à tisser. Cette machine créée pour simplifier le travail de tissage est en train de mettre au chômage près de vingt mille ouvriers.

2.

Deux mois après son divorce avec le roi de France, la duchesse Aliénor d'Aquitaine vient d'épouser Henri Plantagenêt, duc de Normandie et comte d'Anjou. Les territoires possédés par le couple sont désormais plus grands que ceux de la couronne de France. Par ailleurs, Henri Plantagenêt peut prétendre à l'héritage du trône d'Angleterre.

3.

Au cours d'un spectacle de cirque où des chrétiens étaient jetés aux lions, une jeune esclave lyonnaise du nom de Blandine a été mystérieusement épargnée par les bêtes fauves qui se sont couchées à ses pieds. Les chrétiens affirment qu'il s'agit d'un miracle et que leur foi s'en trouve renforcée.

4.

Dix-neuf jours après la fête somptueuse qu'il a donnée dans son château de Vaux en l'honneur du roi Louis XIV et qui a surpassé par son éclat les fêtes de la Cour, le surintendant des finances Fouquet a été emprisonné pour détournement de fonds publics et enrichissement personnel. Le roi a ainsi fait preuve pour la première fois d'une très grande autorité.

5.

Une bataille qui a fait des milliers de victimes a opposé l'armée franque commandée par Charles Martel et les cavaliers arabes d'Abd al-Rahman dans la région de Poitiers. Les envahisseurs arabes qui occupent déjà une partie du sud de la France ont dû battre en retraite et semblent avoir abandonné l'idée de conquérir des territoires au nord de la Loire. ■

Jeanne d'Arc victorieuse au siège d'Orléans (1429).

Le Serment du Jeu de paume (1789). Les députés du peuple jurent de donner une nouvelle constitution à la France.

2 Emplois figurés du vocabulaire de la guerre

a. **Reformulez les phrases suivantes en remplaçant les mots soulignés par des mots qui n'appartiennent pas au thème de la guerre.**

Exemple : La dernière réunion du comité d'entreprise a ravivé le conflit entre...

Bataille autour d'un arbre de Noël.

La dernière réunion du comité d'entreprise a rallumé la guerre entre les deux principaux syndicats. C'est une proposition de Gérard, l'un des représentants du personnel, qui a mis le feu aux poudres. Il a en effet suggéré de réduire le budget consacré aux cadeaux que reçoivent les enfants du personnel à l'occasion de l'arbre de Noël. Aussitôt, Suzanne est montée au créneau, attaquant Gérard de front et l'accusant de vouloir utiliser l'argent pour des causes politiques. Gérard a cherché du renfort dans son propre camp mais malheureusement pour lui, celui-ci comptait un trop grand nombre de parents de familles nombreuses peu décidés à lui prêter main-forte.

Finalement, vaincu par leurs arguments, Gérard a dû battre en retraite.

Quant à moi, célibataire endurcie, j'étais restée en terrain neutre.

b. **Reformulez ces titres de presse en utilisant les expressions de la liste.**

- déclarer la guerre
- envahir
- ouvrir le feu
- se livrer bataille
- signer la paix

1. *Une algue polluante, la caulerpa taxifolia, se développe de plus en plus dans la Méditerranée.*

2. PATINAGE

Réconciliation entre Tiffauge et son entraîneur

3. Élections municipales de mars

MARC DUVAL, PREMIÈRE PERSONNALITÉ À POSER SA CANDIDATURE

4. Discours du président

La lutte contre le chômage sera la première des priorités du gouvernement.

5. ■ Économie

Rude concurrence sur les prix entre les constructeurs d'automobiles.

3 Les sens du mot « histoire »

Trouvez dans le tableau un équivalent du mot « histoire » pour chacun des emplois suivants.

MARC : ... 10, 11, 12, 13. Nous sommes treize à table pour ton anniversaire.

CLAIRE : Il faut donc inviter un homme de plus. Pourquoi pas Éric ? Il a toujours des tas d'histoires à raconter sur ses voyages.

MARC : Impossible. Il a eu une histoire avec Isabelle. Et Isabelle vient avec Clément.

CLAIRE : On t'a raconté des histoires. Moi, Isabelle m'a toujours affirmé qu'elle n'était jamais sortie avec Éric. Mais bon, tu as raison, ne l'invitons pas. Ça pourrait faire des histoires. Invitons André !

MARC : Ah non, lui, depuis qu'il a trempé dans cette histoire de fausses factures, je le vois le moins possible.

CLAIRE : Et ton ancien copain de lycée qu'on avait rencontré au café ? Tu sais, celui qui écrit des histoires pour les enfants... celui qui a fait une thèse sur l'histoire de la vie de Van Gogh. J'ai envie de lui envoyer un carton d'invitation.

MARC : Pas la peine. Avec lui, je ne fais pas autant d'histoires. Je vais lui passer un coup de fil.

CLAIRE : Pfff ! cet anniversaire, quelle histoire !

- une affaire illégale
- une anecdote
- une aventure amoureuse
- une biographie
- un conte
- un embarras
- un mensonge
- un problème
- une chose compliquée

4 Les capacités intellectuelles

a. Trouvez dans la liste cinq capacités intellectuelles dont on doit faire preuve quand on exerce chacune des professions suivantes.
Rédigez votre réponse sous forme de courtes phrases comme dans l'exemple.

Exemple : 1. L'animateur de télévision doit avoir de l'humour.
Il doit aussi avoir le sens de l'organisation. Il doit être capable de...

1. un animateur de télévision
2. un acteur
3. un chercheur scientifique
4. un écrivain
5. un médecin

- *l'attention*
- *la concentration*
- *l'esprit d'analyse*
- *l'esprit de synthèse*
- *l'esprit (l'humour)*
- *l'imagination*
- *la lucidité*
- *la logique*
- *la mémoire*
- *l'objectivité*
- *la perspicacité*
- *la précision*
- *le réalisme*
- *la réflexion*
- *le sens de l'organisation*
- *la vivacité d'esprit*

b. En utilisant les mots de la liste, précisez de quelle forme d'intelligence il s'agit.

Exemple : (1) Elle a été raisonnable.

1. Elle s'est montrée intelligente. Elle n'a pas agi sur un coup de tête.
2. Cet enfant a un quotient intellectuel exceptionnel.
3. Pierre sait se débrouiller dans toutes les situations.
4. Napoléon était un homme qui avait des capacités intellectuelles extraordinaires.
5. Dans l'exposé qu'elle a fait, les arguments s'enchaînaient parfaitement.
6. Il n'est pas très cultivé mais ce qu'il dit est plein de bon sens.
7. À 10 mois, ce bébé commence à dire papa et maman.
8. Ce journaliste fait des analyses très fines de l'actualité.

- éveillé
- génial
- logique
- malin
- raisonnable
- sensé
- subtil
- surdoué

GRAMMAIRE

5 Le récit au passé simple

Mettez les verbes entre parenthèses au passé simple, à l'imparfait ou au plus-que-parfait.

L'auteur discret d'une œuvre célèbre.

Savez-vous qui était Georges Rémi ? Probablement un grand timide puisqu'il *(se réfugier)* sous ses initiales R.G. (lire « Hergé ») pour raconter les aventures de son célèbre reporter Tintin. Grâce à ses BD, cet homme qui *(être)* d'un naturel casanier et qui *(quitter)* rarement Bruxelles, *(faire découvrir)* au monde entier le Congo, la Chine et même la Lune.

Il *(naître)* le 22 mai 1907 d'un père wallon et d'une mère flamande. Il *(ne jamais prendre)* de cours de dessin. Au collège, cependant, il *(passer)* son temps à griffonner sur ses cahiers et, comme cela *(se passer)* entre 1914 et 1918, le héros de ses histoires *(être)* presque toujours un espion.

Mais Tintin ne *(voir)* le jour qu'en 1928. Quelques années avant, *Les Aventures de Totor, chef de patrouille des Hannetons*, l'ancêtre de *Tintin*, *(paraître)* dans une revue de boy-scouts belges à laquelle Georges Rémi *(appartenir)*.

En 1925, Hergé *(entrer)* au journal *Le XXe siècle*. Deux ans après, il *(devenir)* dessinateur-reporter-photographe. C'est en 1928 que *(paraître) Le Petit XXe*, un supplément du journal pour les enfants où, pour son premier voyage, Tintin *(choisir)* un pays qu'on *(appeler)* alors l'URSS.

6 Nuance de sens entre le passé simple et le passé composé

Lisez le tableau ci-dessous. Dans le texte A, expliquez les raisons de l'emploi du passé simple et du passé composé.
Dans le texte B, mettez les verbes entre parenthèses au passé simple ou au passé composé.

> Dans un récit au passé, le choix entre le passé composé ou le passé simple n'obéit pas à une règle mais à une vision de l'action. Le passé composé présente l'action comme une information, le passé simple la présente davantage comme une scène vivante. Le passé composé relie l'évènement passé au présent, le passé simple au contraire le fixe dans l'histoire.

A. Madame Roland a été l'une des figures féminines de la Révolution française ; elle reçut chez elle des Girondins et des Montagnards célèbres ; elle dénonça le complot aristocratique de 1789. Elle lança une campagne contre la première Terreur. Lorsque les Montagnards ont pris le pouvoir, elle a été arrêtée puis guillotinée le 1er juin 1793.

B. Suzanne Valadon *(commencer)* à peindre à l'âge de quarante et un ans. Elle *(exécuter)* de nombreuses natures mortes, des paysages ainsi que des portraits. Elle *(donner)* naissance à un fils, Maurice Utrillo. Pour l'élever, elle *(renoncer)* à la peinture. Maurice *(devenir)* un peintre célèbre et elle *(mourir)* oubliée de tous en 1938.

7 Le récit : emplois de l'imparfait et du passé composé (ou du passé simple)

Dans un récit, on emploie tantôt le passé composé (ou le passé simple), tantôt l'imparfait. La succession de ces temps peut marquer :

a. des actions (au passé composé ou au passé simple) en rupture avec des habitudes (à l'imparfait).
« Je me levais d'habitude à 6 heures. Mais ce jour-là, j'ai fait la grasse matinée. »

b. une suite d'évènements (au passé composé ou au passé simple) accompagnés de leurs circonstances : causes, présentation du décor, présentation d'évènements qui se déroulent en même temps (à l'imparfait).
« Il faisait beau. Nous sommes sortis. »

c. une suite d'actions accomplies par le même sujet mais certaines étant considérées comme principales ou instantanées (passé composé ou passé simple) alors que les autres sont secondaires ou progressives (imparfait).
« Hier, je bricolais dans le jardin. Je me suis blessé. »

a. Actions en rupture avec des habitudes.

Le nouveau maire, élu il y a un an, fait des miracles. Rien n'est plus comme avant. À partir des notes suivantes, imaginez le discours du militant.

> Avant, le maire ne rencontrait jamais les habitants. Mais depuis qu'il a été élu, M. Dupont a rendu visite aux comités de quartier...

Avant

Aucune rencontre avec les habitants – Peu de manifestations culturelles – Pas d'intérêt pour les associations – Pas de grands projets.

Depuis un an

Visites aux comités de quartier – Augmentation du budget de la culture – Encouragement à la création d'associations – Présentation d'un projet de médiathèque.

b. Suite d'évènements accompagnés de leurs circonstances. À partir des notes du journal intime de Florence, rédigez le récit de sa journée du 15 mars.

« Le dimanche 15, Florence s'est levée à 8 heures. Il faisait beau... »

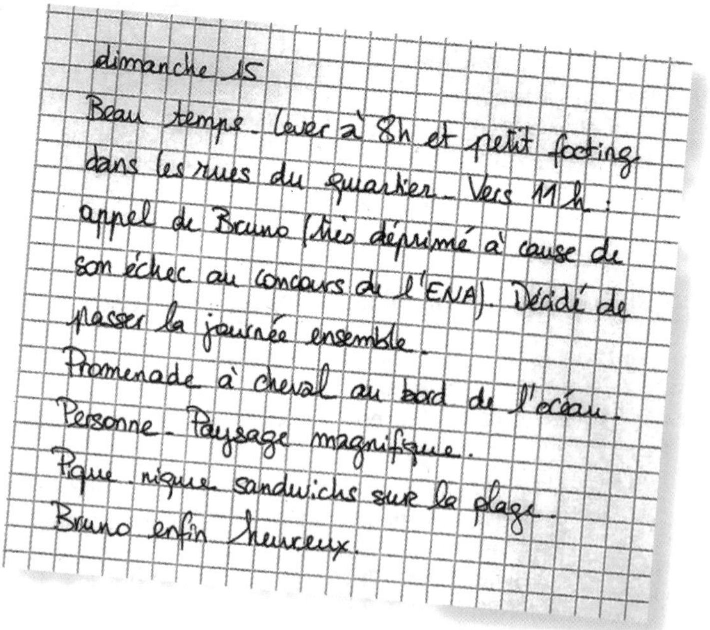
dimanche 15
Beau temps. Lever à 8h et petit footing dans les rues du quartier. Vers 11h : appel de Bruno (très déprimé à cause de son échec au concours de l'ENA). Décidé de passer la journée ensemble.
Promenade à cheval au bord de l'océan.
Personne. Paysage magnifique.
Pique-nique sandwichs sur la plage.
Bruno enfin heureux.

c. Suite d'actions principales (instantanées) ou secondaires (progressives). Mettez les verbes entre parenthèses au temps qui convient (passé composé, imparfait, plus-que-parfait).

Le témoin d'un hold-up raconte...

« Ce matin, je *(aller)* au supermarché qui est à côté de chez moi. J(e) *(finir)* mes courses et je *(s'approcher)* de la caisse quand tout à coup j(e) *(voir)* un homme qui *(entrer)* et qui *(avoir)* une cagoule sur le visage. Il *(foncer)* vers la caisse et *(sortir)* un revolver. J(e) *(être)* juste à côté et je *(se demander)* ce que je *(devoir)* faire. Mais je *(ne pas avoir le temps)* de réfléchir longtemps. L'homme au revolver *(se pencher)* vers la caisse quand deux hommes lui *(sauter)* dessus et le *(plaquer)* au sol. C'*(être)* des policiers en civil. »

8 Le récit : antériorité – simultanéité – postériorité

À partir des notes suivantes, rédigez un texte sur l'histoire de la ville de Paris. Suivez les instructions qui vous sont données en marge.

Exemple : « Avant que Paris ne devienne une ville importante... »

• *IIe siècle avant J.-C.* Paris n'est pas une ville importante. C'est un petit village sur l'actuelle île de la Cité. Fondation du village en 300 avant J.-C. par les Parisii, une tribu de Celtes pêcheurs.	**Expression de l'antériorité : *avant que...*** **Emploi du plus-que-parfait.**
• *52 avant J.-C.* Conquête romaine. Défaite des Parisii. Destruction du village.	**Expression de la postériorité : *après que...***
• *À partir de 50 avant J.-C.* La Gaule est occupée par les Romains. Développement de la ville de Lutèce sur l'île de la Cité.	**Expression de la postériorité : *après* + nom**
• *Du Ier au IIIe siècle après J.-C.* Prospérité de la ville. Extension sur la rive gauche de la Seine. Construction de thermes, de temples, d'arènes.	**Expression de la simultanéité : *alors que... en même temps que...***
• *280 après J.-C.* Destruction de Lutèce par des barbares venus de l'Est. Construction des premières fortifications de Lutèce	**Expression de la postériorité : *après que...***
• 360. Lutèce devient Paris.	
• 451. Les Huns (venus d'Europe centrale) s'approchent de Paris. Ils n'attaqueront pas la ville. Une jeune fille, Geneviève, a demandé aux Parisiens de se réunir sur une colline et de prier. L'armée des Huns évite miraculeusement Paris.	**Expression de l'antériorité : *avant que...***
• 508. Paris est reconnue capitale du royaume des Francs par Clovis.	

9 L'accord du participe passé

Mettez le verbe entre parenthèses au participe passé et faites l'accord grammatical nécessaire. Dans chaque cas, formulez la règle d'accord.

1. Verbes non pronominaux utilisant l'auxiliaire « être » (cet auxiliaire pouvant être lui-même à un temps composé : « Elle a été vue. »)	Marie est *(arriver)* à 8 heures. Sylviane et Rémi sont *(arriver)* à 8 h 25. Ils avaient été *(retarder)* par les embouteillages. Nous sommes *(partir)* à 8 h 30.
2. Verbes utilisant l'auxiliaire « avoir ».	Marie a *(voir)* dans la vitrine d'un magasin une robe qui lui a *(plaire)*. Elle l'a *(acheter)*. Personnellement, je n'ai pas tellement *(apprécier)* cette robe. J'en ai *(voir)* des tas comme ça. Je l'aurais *(préférer)* plus originale.
3. Participes passés des verbes pronominaux.	Marie s'est *(se regarder)* dans la glace et s'est *(se rendre compte)* qu'elle était toujours aussi belle. Elle s'est *(se mettre à)* chanter. Elle s'est *(se souvenir)* qu'elle avait un rendez-vous avec son amie Florence. Les deux jeunes femmes se sont *(se retrouver)* au café des Arts et Métiers où elles se sont *(se faire servir)* une salade et une eau minérale.

ÉCRIT

Recette pour dramatique-télé

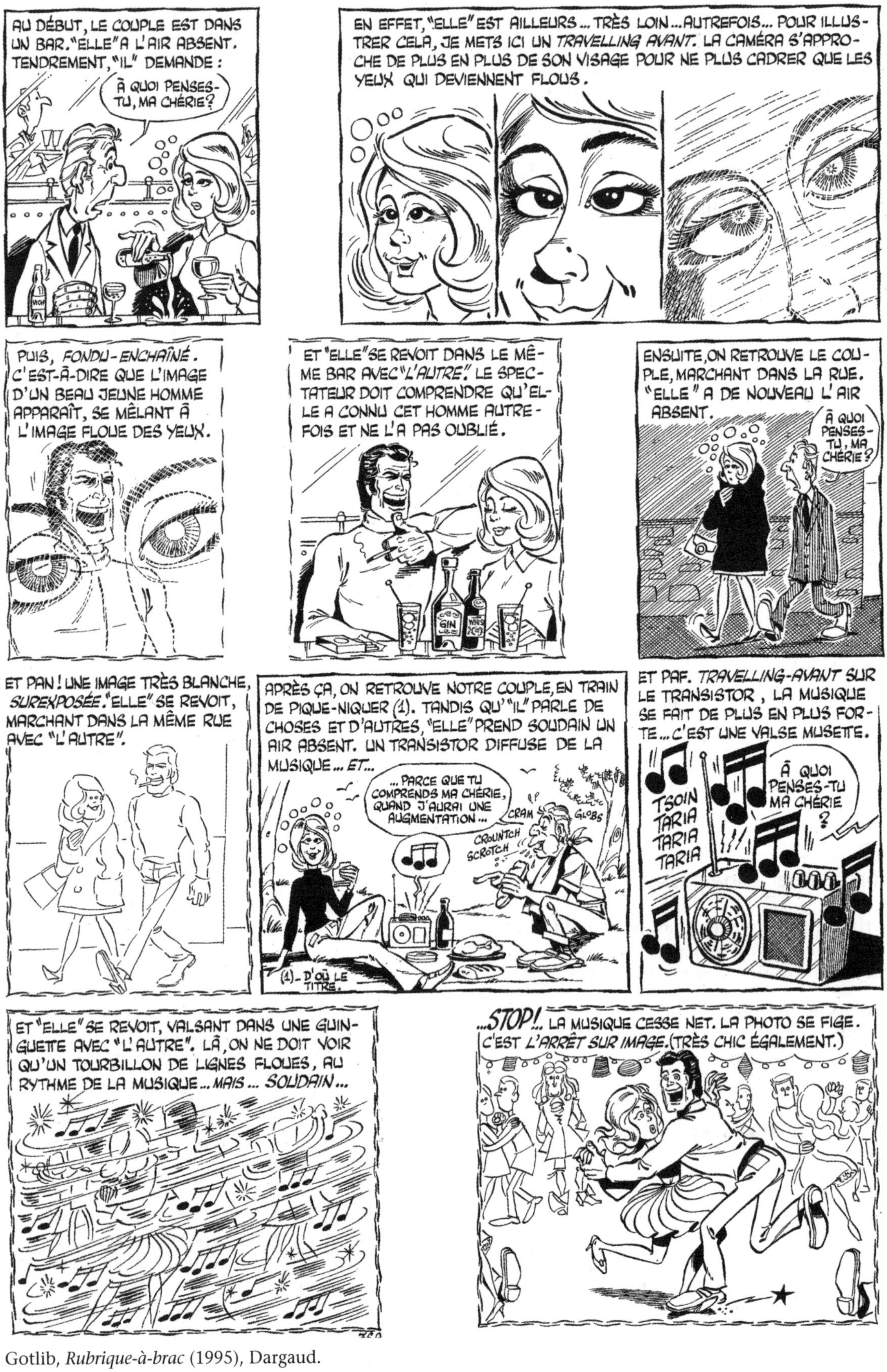
AU DÉBUT, LE COUPLE EST DANS UN BAR. "ELLE" A L'AIR ABSENT. TENDREMENT, "IL" DEMANDE :
À QUOI PENSES-TU, MA CHÉRIE?
EN EFFET, "ELLE" EST AILLEURS... TRÈS LOIN... AUTREFOIS... POUR ILLUSTRER CELA, JE METS ICI UN TRAVELLING AVANT. LA CAMÉRA S'APPROCHE DE PLUS EN PLUS DE SON VISAGE POUR NE PLUS CADRER QUE LES YEUX QUI DEVIENNENT FLOUS.
PUIS, FONDU-ENCHAÎNÉ. C'EST-À-DIRE QUE L'IMAGE D'UN BEAU JEUNE HOMME APPARAÎT, SE MÊLANT À L'IMAGE FLOUE DES YEUX.
ET "ELLE" SE REVOIT DANS LE MÊME BAR AVEC "L'AUTRE". LE SPECTATEUR DOIT COMPRENDRE QU'ELLE A CONNU CET HOMME AUTREFOIS ET NE L'A PAS OUBLIÉ.
GIN
ENSUITE, ON RETROUVE LE COUPLE, MARCHANT DANS LA RUE. "ELLE" A DE NOUVEAU L'AIR ABSENT.
À QUOI PENSES-TU, MA CHÉRIE?
ET PAN! UNE IMAGE TRÈS BLANCHE, SUREXPOSÉE. "ELLE" SE REVOIT, MARCHANT DANS LA MÊME RUE AVEC "L'AUTRE".
APRÈS ÇA, ON RETROUVE NOTRE COUPLE, EN TRAIN DE PIQUE-NIQUER (1). TANDIS QU'"IL" PARLE DE CHOSES ET D'AUTRES, "ELLE" PREND SOUDAIN UN AIR ABSENT. UN TRANSISTOR DIFFUSE DE LA MUSIQUE... ET...
... PARCE QUE TU COMPRENDS MA CHÉRIE, QUAND J'AURAI UNE AUGMENTATION...
CRAM
GLOBS
CROUNTCH
SCROTCH
(1) - D'OÙ LE TITRE.
ET PAF. TRAVELLING-AVANT SUR LE TRANSISTOR, LA MUSIQUE SE FAIT DE PLUS EN PLUS FORTE... C'EST UNE VALSE MUSETTE.
TSOIN TARIA TARIA TARIA
À QUOI PENSES-TU MA CHÉRIE ?
ET "ELLE" SE REVOIT, VALSANT DANS UNE GUINGUETTE AVEC "L'AUTRE". LÀ, ON NE DOIT VOIR QU'UN TOURBILLON DE LIGNES FLOUES, AU RYTHME DE LA MUSIQUE... MAIS... SOUDAIN...
...STOP!... LA MUSIQUE CESSE NET. LA PHOTO SE FIGE. C'EST L'ARRÊT SUR IMAGE. (TRÈS CHIC ÉGALEMENT.)

Gotlib, *Rubrique-à-brac* (1995), Dargaud.

10 Bande dessinée et cinéma

a. **Lisez, ci-contre, la BD du dessinateur humoriste Gotlib. Exposez en trois lignes le sujet de cette BD en utilisant les mots ou expressions suivantes :**

présenter… – commenter… – faire la parodie de… – un style – une technique

b. **À l'aide du tableau, analysez les différentes scènes (ou plans cinématographiques) du scénario présenté dans cette BD.**

N° du plan ou de la scène	Description et contenu du plan ou de la scène	Technique cinématographique utilisée	Effet produit
1	Dans un bar. Un homme (A) bavarde avec une femme (F). F est distraite.	Travelling avant sur le visage de F.	Flou. Passage au rêve ou à la rêverie.
2	…	…	…

c. **Imaginez et rédigez une page de roman dont ce scénario pourrait être l'adaptation. Construisez un bref paragraphe de 4 à 5 lignes pour chaque lieu en variant l'emploi des temps.**

Scène au bar : commencez votre récit au plus-que-parfait : « Ce jour-là, Gérard avait invité Martine à prendre un verre… »

Scène dans la rue : commencez votre récit au présent : « Maintenant, Martine et Gérard marchent côte à côte… »

Scène du pique-nique : commencez le récit au passé composé : « Le dimanche suivant, Gérard a proposé à Martine d'aller faire un pique-nique au bord d'une rivière… »

d. **Imaginez en quelques lignes le début puis la fin de l'histoire racontée dans le scénario de la BD.**

e. **Voici des techniques cinématographiques différentes de celles qui ont été présentées par Gotlib. Imaginez comment vous pourriez les utiliser dans une scène du scénario que vous avez rédigée en d.**

Exemple : un gros plan → Martine et Antoine se voient pour la première fois. Gros plan sur le visage d'Antoine qui sourit à Martine.

- un gros plan – un plan moyen – un panoramique ;
- un ralenti – un accéléré – un flash ;
- une plongée – une contre-plongée.

f. **Emploi figuré du vocabulaire du cinéma. Reformulez les groupes soulignés en utilisant les mots de la liste.**

La conférence de presse du maire.
Au cours de sa conférence de presse, le maire a voulu montrer qu'il n'avait pas l'intention de jouer un rôle effacé dans sa ville, mais que bien au contraire, c'était lui le véritable organisateur de l'action municipale, une action qu'il a tenu à bien définir.
Il a tout d'abord mis en valeur les différentes réalisations en cours, en insistant tout particulièrement sur le travail effectué dans la Cité du Vallon.
Par ailleurs, il a donné des indications claires et nettes à propos du financement du stade. Cette question était en effet sans réponse précise depuis quelque temps.
La discussion qui a suivi la conférence a porté essentiellement sur l'action culturelle.

- cadrer
- donner un coup de projecteur sur…
- faire une mise au point
- faire un gros plan
- (se) focaliser (sur)
- un figurant
- un metteur en scène

LITTÉRATURE

11 L'autobiographie

Lisez le début de *L'Amant*, récit autobiographique de Marguerite Duras (1914-1996).

Un jour, j'étais âgée déjà, dans le hall d'un lieu public, un homme est venu vers moi. Il s'est fait connaître et il m'a dit : « Je vous connais depuis toujours. Tout le monde dit que vous étiez belle lorsque vous étiez jeune, je suis venu pour vous dire que pour moi je vous trouve plus belle maintenant que lorsque vous étiez jeune, j'aimais moins votre visage de jeune femme que celui que vous avez maintenant, dévasté. »

Je pense souvent à cette image que je suis seule à voir encore et dont je n'ai jamais parlé. Elle est toujours là dans le même silence, émerveillante. C'est entre toutes celle qui me plaît de moi-même, celle où je me reconnais, où je m'enchante.

Très vite dans ma vie il a été trop tard. À dix-huit ans il était déjà trop tard. Entre dix-huit ans et vingt-cinq ans mon visage est parti dans une direction imprévue. À dix-huit ans j'ai vieilli. [...]

Ce vieillissement a été brutal. Je l'ai vu gagner mes traits un à un, changer le rapport qu'il y avait entre eux, faire les yeux plus grands, le regard plus triste, la bouche plus définitive, marquer le front de cassures profondes. Au contraire d'en être effrayée j'ai vu s'opérer ce vieillissement de mon visage avec l'intérêt que j'aurais pris par exemple au déroulement d'une lecture.

Que je vous dise encore, j'ai quinze ans et demi.

C'est le passage d'un bac sur le Mékong.

L'image dure pendant toute la traversée du fleuve.

J'ai quinze ans et demi, il n'y a pas de saisons dans ce pays-là, nous sommes dans une saison unique, chaude, monotone, nous sommes dans la longue zone chaude de la terre, pas de printemps, pas de renouveau.

Je suis dans une pension d'État à Saigon. Je dors et je mange là, dans cette pension, mais je vais en classe au-dehors, au lycée français. Ma mère, institutrice, veut le secondaire pour sa petite fille. Pour toi c'est le secondaire qu'il faudra. Ce qui était suffisant pour elle ne l'est plus pour la petite. Le secondaire et puis une bonne agrégation de mathématiques. [...]

J'ai toujours vu ma mère faire chaque jour l'avenir de ses enfants et le sien.

Marguerite Duras, *L'Amant*, Éditions de Minuit, 1984.

a. À l'aide du tableau, étudiez les différentes étapes de l'itinéraire du souvenir chez Marguerite Duras.

Date du souvenir	Contenu du souvenir	Façon d'évoquer le souvenir (description, récit de scène, réflexions ou commentaires, etc.).
L'auteur est déjà âgé et déjà connue du public.	Propos d'un admirateur qui aborde l'auteur dans le hall d'un lieu public.	Petit récit de la scène. Citation des propos de l'admirateur.

b. Rassemblez toutes les informations sur Marguerite Duras que l'on peut apprendre en lisant cette page :

– détails biographiques ;

– psychologie de l'auteur.

c. Caractérisez le souvenir de Marguerite Duras. Est-il auditif, olfactif, tactile ou visuel ? Sur quoi porte principalement le souvenir ? Pourquoi ce thème du souvenir est-il bien choisi au début d'une autobiographie ?

d. Comme le metteur en scène Jean-Jacques Annaud (dont le travail a d'ailleurs été critiqué par Marguerite Duras), vous devez adapter *L'Amant* pour le cinéma. Imaginez la première minute de votre film. Décrivez la suite d'images que vous proposeriez au spectateur.

Exemple : 1. Vue du bac sur le fleuve Mékong.

e. Pourquoi décide-t-on de raconter sa vie ? Dans les débuts d'autobiographies célèbres ainsi que dans la première page de *L'Amant*, recherchez des indications sur les motivations de l'auteur.

Exemple : autobiographie de Proust → Elle évoque les instants de confusion entre rêve et réalité et le plaisir que Marcel Proust retire de ces instants. Peut-être raconte-t-il sa vie pour la revivre en la rêvant et en la transfigurant.

Je forme une entreprise qui n'eut jamais d'exemple et dont l'exécution n'aura point d'imitateur. Je veux montrer à mes semblables un homme dans toute la vérité de la nature ; et cet homme ce sera moi.

Moi seul. Je sens mon cœur et je connais les hommes. Je ne suis fait comme aucun de ceux que j'ai vus ; j'ose croire n'être fait comme aucun de ceux qui existent. Si je ne vaux pas mieux, au moins je suis autre.

Jean-Jacques Rousseau, *Les Confessions*, 1781.

Ai-je été nourri par ma mère ? Est-ce une paysanne qui m'a donné son lait ? Je n'en sais rien. Quel que soit le sein que j'ai mordu, je ne me rappelle pas une caresse du temps où j'étais tout petit ; je n'ai pas été dorloté[1], tapoté[2], baisotté[3], j'ai été beaucoup fouetté.

Jules Vallès, *L'Enfant*, 1884.

Longtemps, je me suis couché de bonne heure. Parfois, à peine ma bougie éteinte, mes yeux se fermaient si vite que je n'avais pas le temps de me dire : « Je m'endors. » Et, une demi-heure après, la pensée qu'il était temps de chercher le sommeil m'éveillait ; je voulais poser le volume que je croyais avoir encore dans les mains et souffler ma lumière ; je n'avais pas cessé en dormant de faire des réflexions sur ce que je venais de lire, mais ces réflexions avaient pris un tour un peu particulier ; il me semblait que j'étais moi-même ce dont parlait l'ouvrage : une église, un quatuor, la rivalité de François Ier et de Charles Quint.

Marcel Proust, *Du côté de chez Swann*, 1913.

1. Donner des soins et caresser un enfant.
2. Donner des petites tapes.
3. Donner des petits baisers.

UNITÉ 3

VOCABULAIRE

1 Sentiments et réactions

a. Dans le texte ci-contre, relevez les effets de la timidité sur :

- le comportement physique ;
- la psychologie.

b. Dans les listes ci-dessous, trouvez les réactions qui correspondent à chaque sentiment. Soulignez les expressions figurées.

Exemple : la satisfaction : sourire – se frotter les mains

Sentiments	Réactions
le chagrin – la colère – le dégoût – l'hypocrisie – l'impatience – la méfiance – l'orgueil – la peur – la satisfaction – la surprise.	avoir la gorge serrée – bomber le torse – claquer des dents – crier – être nerveux – faire la moue – froncer les sourcils – se frotter les mains – fuir du regard – lever les bras au ciel – marcher de long en large – montrer les dents – pleurer – sourire – regarder de haut – rougir – se tordre les mains – trembler.

La timidité est un mauvais génie. Au travail, devant des supérieurs hiérarchiques, elle brouille nos pensées brillantes et nous fait balbutier comme des enfants. Face à la personne aimée, elle nous oblige à baisser piteusement la tête. Elle nous torture dans l'ascenseur, nous ordonnant de fuir le regard des inconnus, elle nous pourchasse même dans les dîners d'amis, où l'on se tait de peur de dire des bêtises... On tente de lui échapper, en triturant un stylo ou des lunettes, en riant fort ou en se donnant un air désinvolte. Hélas... la timidité est la plus forte : elle fera trembler nos doigts ou notre voix et colorera malicieusement nos joues de rouge.

Ça m'intéresse, septembre 1995.

c. Observez cet extrait de bande dessinée. Quels sont les sentiments que le dessinateur a voulu traduire. Comment y est-il parvenu ?

Nous sommes dans l'Antiquité. Les Romains occupent la Gaule. Mais un petit village gaulois résiste grâce à une potion magique.

a. Répondez aux questions du jeu test ci-contre.

b. Trouvez, dans la liste ci-dessous, le trait de personnalité correspondant à chaque affirmation.

Exemple : 1. → la méfiance.

▲ *l'aveuglement*
▲ *la culpabilité*
▲ *la dépendance*
▲ *le doute*
▲ *l'effacement*
▲ *l'hypocrisie*
▲ *l'inquiétude*
▲ *le manque d'assurance*
▲ *le manque d'originalité*

▲ *la méfiance*
▲ *la modestie*
▲ *le narcissisme*
▲ *la peur des autres*
▲ *la peur de la solitude*
▲ *la réflexion*
▲ *le sérieux*
▲ *le sentiment de persécution*
▲ *la timidité*

c. Trouvez les traits de personnalité opposés à ceux que vous avez notés en b.

Exemple : 1. → la méfiance / la confiance.

d. Lisez les résultats du test. Notez les caractéristiques de chaque groupe de personnalité. Résumez ces caractéristiques par trois noms. Donnez deux conseils à chaque groupe.

Exemple : de 0 à 5 → confiance en soi, … Conseils : vous êtes trop sûre de vous. Attention !

VOS RÉSULTATS

Votre nombre de « oui » se situe entre 0 et 5.
Aucun doute, vous vous acceptez telle que vous êtes. Votre capacité à suivre votre route sans tenir compte des pressions extérieures est étonnante. Vous croyez dur comme fer en votre valeur. On pourrait même se demander si vous ne péchez pas par un excès de confiance en vous.

Votre nombre de « oui » se situe entre 6 et 10.
Vous êtes pourvue d'une personnalité ouverte et vous ne vivez pas repliée sur vous-même, ce qui ajoute à votre sens social. Dans les situations stressantes, vous prenez souvent appui sur l'opinion des autres. Qui vous le reprocherait ?

Votre nombre de « oui » se situe entre 11 et 15.
Vous semblez ne pas avoir une très bonne opinion de vous-même. Chaque fois que vous changez d'interlocuteur, vous montrez une facette différente. Votre timidité fait que vous prenez la moindre critique au pied de la lettre, et que vous donnez toujours raison aux autres.

Vous acceptez-vous telle que vous êtes ?

Cochez d'une croix les affirmations qui vous correspondent le mieux.
Comptez les croix et reportez-vous aux résultats.

☐ **1.** Lorsque quelqu'un me fait un compliment, je doute souvent de sa sincérité.

☐ **2.** J'ai toujours peur à l'idée de décevoir les autres.

☐ **3.** Dans une réunion, quand des personnes commencent à se parler en aparté, j'ai toujours l'impression qu'elles sont en train de me critiquer.

☐ **4.** Certains regrets me poursuivent longtemps.

☐ **5.** Le soir, je passe en revue ce que j'ai fait dans la journée.

☐ **6.** Je ne cherche jamais à comprendre quelle est la signification de mes rêves.

☐ **7.** Je donne beaucoup d'importance à ce que les autres pensent de moi.

☐ **8.** Je travaille moins bien si je sais que l'on me regarde.

☐ **9.** J'ai beaucoup de mal à m'adresser à des inconnus.

☐ **10.** Je suis constamment préoccupée par mon apparence physique.

☐ **11.** Je suis incapable de choisir un vêtement dans un magasin si je suis toute seule car, dans ce cas, je regrette toujours mes acquisitions.

☐ **12.** Au travail, j'en fais dix fois plus que les autres, pourtant, personne ne s'en aperçoit.

☐ **13.** Lorsque je dois m'adresser à quelqu'un, je cherche toujours à lui dire ce qu'il désire entendre, quitte à masquer mes propres opinions.

☐ **14.** Partir en voyage toute seule, c'est pour moi quelque chose d'insupportable.

☐ **15.** Avant d'aller voir un film, quel qu'il soit, je lis toujours les critiques cinématographiques.

Emmanuel Bacri, *Femme Actuelle* n° 633, novembre 1996.

3 La formation des noms de profession

a. Précisez en quoi consiste l'activité de ces personnes (ce qu'ils font, ce dont ils s'occupent, etc.).

– le coursier (dans une entreprise) ;
– le pompiste (dans une station-service) ;
– le souffleur (dans un théâtre) ;
– l'opticien (dans une galerie marchande) ;
– le grossiste (dans un circuit commercial).

b. Retrouvez les noms des professionnels du cinéma.

Exemple : celui qui a produit le film → le producteur.

« Le soir du dernier jour de tournage, celui qui a produit le film a réuni tous ceux qui ont participé à l'aventure : celui qui a réalisé le film, ceux qui ont joué la comédie, ceux qui ont fabriqué les décors, ceux qui ont imaginé les costumes, celui qui a recherché les accessoires, celui qui s'est occupé des éclairages, celui qui a cadré les images, ceux qui ont exécuté les cascades et celle qui va monter le film. »

Suffixes permettant la formation d'un nom de profession.

• D'après un verbe
-eur / -euse : vendre → un vendeur / une vendeuse
-teur /- trice : explorer → un explorateur / une exploratrice

• D'après un nom
-iste (le nom d'origine peut être un objet ou un lieu ayant un rapport avec l'activité)
une dent → un / une dentiste
un garage → un / une garagiste
-ier / -ière (même nom d'origine que le précédent)
un hôtel → un hôtelier / une hôtelière
une épice → un épicier / une épicière
-ien / -ienne (le nom d'origine est un domaine de la science, des arts, des techniques, etc.)
la pharmacie → un pharmacien / une pharmacienne
-logue ou **logiste** (forme des noms de professions scientifiques)
la biologie → un / une biologiste
-aire (forme quelques mots à partir d'un objet)
un disque → un / une disquaire

c. Voici des métiers rares ou qui ont disparu. Que faisaient ces personnes ?

un aiguiseur – un barbier – un friseur – des pleureuses – un archer – un copiste – un perruquier – un rempailleur

d. Attention aux étymologies trompeuses. Que font ces personnes ?

un carrossier – un droguiste – un chauffeur – un plongeur (dans un restaurant)

4 Les documents de la vie professionnelle

Dans quelle situation reçoit-on ou utilise-t-on les documents suivants ?

Documents

a. un avis de notation (ou d'évaluation)
b. un arrêt maladie (ou certificat médical)
c. un contrat d'apprentissage
d. un contrat de travail à durée déterminée
e. un contrat de travail à durée indéterminée
f. un bulletin de paye
g. une lettre de motivation
h. une note de frais
i. une lettre de licenciement

Situations

1. Il vient d'être embauché pour trois mois.
2. Il sollicite un poste dans une entreprise.
3. Son salaire vient d'être viré sur son compte bancaire.
4. Il veut se faire rembourser un voyage professionnel.
5. Il a une forte grippe et a fait appeler un médecin.
6. Il a été engagé dans une entreprise.
7. Il a été victime d'une compression de personnel.
8. Il apprend un métier en travaillant dans une petite entreprise et en suivant des cours.
9. Son supérieur hiérarchique juge son travail.

GRAMMAIRE

5 Le subjonctif présent

Mettez les verbes entre parenthèses au subjonctif présent.
Trouvez dans la liste l'attitude ou le sentiment qui explique l'emploi du subjonctif.

Dialogue entre un père et son fils de 20 ans.

LE PÈRE : Écoute, Sébastien. Tu as réussi au concours d'entrée dans une grande école d'ingénieurs. Je suis étonné que maintenant tu ne *(vouloir)* plus y aller. C'est quand même dommage que tu ne *(faire)* pas ces études d'ingénieur. Je ne suis pas sûr que tu *(pouvoir)* gagner ta vie comme tu le voudrais : en faisant de la peinture.

LE FILS : Oui, je sais, papa. Tu voudrais que j(e) *(aller)* dans cette grande école. Ton rêve, c'est que ton fils *(recevoir)* une bonne formation afin qu'il *(avoir)* une chance de trouver un emploi sûr et intéressant. Mais crois-tu que de longues études *(être)* vraiment une garantie contre le chômage ?

LE PÈRE : Il faut que tu *(savoir)* qu'il y a moins de chômeurs chez les plus diplômés.

LE FILS : Je crains que ce *(être)* de moins en moins vrai... Mais crois-tu que nous, les jeunes, nous *(devoir)* sacrifier nos désirs, notre vocation, parce qu'on traverse une période de chômage ?

LE PÈRE : J'ai peur que vous n'*(avoir)* pas vraiment conscience de ce que sera l'avenir.

LE FILS : Et moi, je crois que, quoique vous en *(dire)*, cet avenir ne sera pas si catastrophique.

- but
- crainte
- doute
- obligation
- opposition
- surprise
- regret
- souhait

6 Subjonctif ou indicatif

Mettez le verbe entre parenthèses au présent du subjonctif ou à un temps de l'indicatif.
Trouvez dans la liste ce qui justifie votre choix.

« Figure-toi que j'ai consulté une voyante. Elle m'a dit qu'elle n'*(être)* pas certaine que je *(être)* très heureuse en ce moment. Mais elle m'a assuré que ma situation professionnelle *(aller)* s'arranger. Je souhaite qu'elle *(dire)* vrai.

Sur ma vie affective, elle ne m'a pas annoncé grand-chose que je ne *(savoir)* déjà : il faudrait que je *(prendre)* le temps de m'occuper de mes proches afin que nous *(partager)* davantage d'activités de loisirs.

Sur le plan de la santé, elle m'a dit : "Vous ne *(dormir)* pas assez. Il est indispensable que vous *(faire)* du sport."

Au fond, j'ai payé 300 F, et la seule chose que je *(savoir)*, c'est que je *(vivre)* dans le stress et que je *(devoir)* prendre mon temps. Tout ça, je le savais déjà. »

- but
- doute
- expression négative
- expression superlative
- nécessité
- souhait

- constatation
- attitude
- paroles rapportées

7 Le subjonctif passé

a. Nécessité et exigences. Ils préparent un voyage à l'étranger. Faites-les parler.

À la fin de notre séjour, il faudrait que nous… (voir le sud du pays – aller voir nos amis qui travaillent à l'ambassade)
Avant la fin de cette semaine, il faut que je… (acheter les billets – aller faire les formalités de visa)
D'ici à samedi, il faut que tu… (réserver les chambres d'hôtel – se renseigner à l'office du tourisme)
PARADI TOURS

b. Regrets. Le dimanche a été raté. Rédigez ses pensées. « Je regrette que… Dommage que… Il est regrettable que… C'est bête que… »

Je suis arrivé en retard au rendez-vous. Il n'a pas fait beau. Nous sommes tombés en panne. Je n'ai pas choisi un bon restaurant.

Sens et formes du passé du subjonctif.

Le passé du subjonctif est employé après les mêmes types de verbes ou d'expressions que le subjonctif présent mais l'action ou l'état envisagés sont passés ou considérés comme achevés :
« Je regrette qu'il ne **soit** pas **venu**. » (le regret porte sur une action passée)
« Je veux que tu **aies fini** ton travail à 17 heures. » (la demande porte sur l'achèvement de l'action).

Il faut…

que j'aie lu	que je sois allé(e)
que tu aies lu	que tu sois allé(e)
qu'il/elle ait lu	qu'il/elle soit allé(e)
que nous ayons lu	que nous soyons allé(e)s
que vous ayez lu	que vous soyez allé(e)s
qu'ils/elles aient lu	qu'ils/elles soient allé(e)s

Il faut
que je me sois levé(e), que tu te sois levé(e)
etc.

8 Demandes, suggestions, souhaits, regrets

Formulez ce qu'ils disent selon les indications.

a. Le délégué syndical et le P-DG de l'entreprise.

- Un nouveau P-DG vient d'être désigné, le délégué syndical lui expose ses souhaits.

« Je souhaiterais… Je voudrais… Il faudrait… »

Écoutez nos revendications ! Voyons-nous une fois par semaine ! Les cadences de travail doivent être réduites. L'atmosphère doit être plus détendue.

- Six mois plus tard, le délégué syndical critique la gestion du P-DG.

« J'aurais souhaité… préféré… voulu… aimé… »

Il n'y a pas assez de dialogue. On doit se réunir plus souvent. Vous ne prenez pas vos décisions en concertation avec nous. Vous n'avez pas…

b. Ils veulent visiter la Jordanie.

- Une amie qui connaît bien ce pays leur donne des conseils.

« Vous devez… Vous pourriez… Il faudrait que vous… Je suggère que vous… Je vous conseille de… »

Restez au moins 15 jours dans ce pays ! Louez une voiture ! Allez dans le Wadi Rom ! Faites une promenade dans le désert à dos de chameau ! Baignez-vous dans la mer Rouge ! Prenez la route des Rois pour aller à Pétra ! Visitez les châteaux du désert !

- Ils rentrent de voyage. Ils n'ont pas suivi tous les conseils de leur amie. Ils le regrettent.

« Nous aurions dû… Nous aurions pu… »

ÉCRIT

9 Les mots clés du texte

a. Identification du document. Survolez rapidement le document ci-dessous. À qui s'adresse-t-il ? Quelle est sa fonction ? Où peut-on le trouver ?

b. Lisez le document. Indiquez dans un tableau le contenu et la fonction des six parties suivantes : le titre, le sous-titre (ou chapeau), chacun des trois paragraphes, le bon à découper.

	Contenu	Fonction
Titre	Annonce de l'existence d'une méthode qui augmente les capacités de réussite.	Destiné à retenir l'attention des parents.
Sous-titre	…	…

c. Faites la liste des arguments et des techniques publicitaires utilisés par l'auteur du document.

d. Un(e) de vos ami(e)s a l'intention de remplir le bon à découper et de l'envoyer. Vous le (la) mettez en garde. Justifiez par des arguments précis trouvés dans le document :

– son enthousiasme ;

– votre méfiance.

UNE MÉTHODE POUR AIDER VOS ENFANTS À RÉUSSIR

À travail égal, certains décrochent leur examen, d'autres pas. Des surdoués ? Des chanceux ? Non, car réussir ses études n'est pas une question de don, mais de méthode.

Découpez et renvoyez simplement le bon ci-dessous.

Ce guide gratuit vous informe sur une étonnante méthode de préparation et de réussite aux examens.

Ce guide vous montrera qu'il existe des techniques qui permettent :

1. D'étudier plus efficacement en travaillant moins.
2. D'assimiler plus vite et plus facilement toutes les matières ardues.
3. De multiplier par 2, 3 voire 4 votre vitesse de lecture.
4. D'augmenter la puissance de votre mémoire et de retenir sans effort les noms, les dates, les chiffres, les formules, etc.
5. De retenir l'essentiel d'un exposé, ou d'un livre, après une seule lecture.

Maintenant ayez la certitude de réussir à vos examens

Les étudiants qui ont déjà pu utiliser cette méthode sont enthousiasmés. Ils écrivent par exemple :

« J'ai le grand plaisir de vous annoncer mon succès au concours de l'école HEC. Il ne fait aucun doute que, grâce à votre méthode, j'ai accompli des progrès spectaculaires pendant l'année. Votre méthode est d'une efficacité absolue. »

M. F.H. de Paris

« Mes études sont devenues plus faciles et plus agréables. Depuis que j'ai votre méthode, je mémorise les noms, dates, chiffres et formules avec une facilité déconcertante. »

M. G.E. de St.-Laurent

Profitez de cette offre gratuite avant qu'il ne soit trop tard

Ne pensez-vous pas qu'il serait dommage de laisser passer cette occasion unique de réussir vos examens et vos études tout en réduisant vos efforts ?

Renvoyez dès aujourd'hui le bon ci-dessous, vous serez ainsi certain de ne pas arriver trop tard. Dans quelques jours vous recevrez chez vous le livret guide « Comment réussir tous vos examens ».

GRATUIT
Un seul guide par demande

Bon pour recevoir gratuitement et par courrier, sans engagement d'aucune sorte, le guide « Comment réussir tous vos examens ». Joindre 3 timbres (lettre) pour participation aux frais.

❑ M. ❑ Mme ❑ Mlle Date de naissance ____

Nom ____

Prénom ____

Adresse ____

____ Code postal ____

Ville ____

Découpez et renvoyez ce bon à :
CEREP. 71, rue Étienne Dolet
94145 Alfortville Cedex

10 Lettres de demande

a. Lisez ces six extraits de lettres et complétez le tableau.

	Qui a écrit la lettre ?	À qui la lettre est-elle adressée ?	Quel est l'objet de la lettre ?	La demande est-elle formulée par le biais : d'un conseil ? d'une demande de faveur ? d'un ordre ? d'un regret ? d'un souhait ? d'une suggestion ?
1.	…	…	…	…

Madame,

Pour la deuxième fois en deux ans, l'appartement que je loue a été cambriolé. Il est certain que l'absence de serrure sur la porte d'entrée de l'immeuble a grandement facilité la tâche des cambrioleurs.

Je vous rappelle que la sécurité de l'immeuble fait partie des obligations du propriétaire et je vous prie de faire placer le plus rapidement possible une serrure sur la porte d'entrée …

1.

2.

Monsieur le Directeur,

Voici plus de dix ans que j'exerce dans votre entreprise les fonctions de délégué commercial itinérant. Ces activités m'amènent à être très souvent en déplacement et par conséquent éloigné de ma famille.

Aujourd'hui, j'aspirerais à un poste qui implique moins de mobilité.

J'ai appris que monsieur Rigal, responsable du service financier, prenait sa retraite dans deux mois et je...

3.

Monsieur l'Inspecteur d'Académie,

L'association des parents d'élèves de l'école Albert-Camus tient à vous exprimer sa déception à propos de la dernière rentrée scolaire. Nous regrettons vivement que notre demande d'ouverture d'une classe supplémentaire n'ait pas été prise en compte. Cette classe aurait pu...

4.

ALPHA MIGRANTS
Association pour l'alphabétisation
des travailleurs immigrés

Monsieur le Président du Conseil général,

La subvention qui nous est attribuée chaque année nous a bien été versée en mars dernier. Toutefois, nous sollicitons de votre bienveillance et de votre compréhension l'attribution d'une subvention exceptionnelle avant le mois de septembre.

En effet, certains donateurs privés n'ayant pas renouvelé leur contribution, nous nous trouvons actuellement dans une situation financière inquiétante…

5.

Mon cher Florian,

J'ajoute juste un mot au sujet de la voiture que nous t'avons donnée. Comme nous ne nous en servions plus, elle est très mal assurée. Si j'étais toi, je souscrirais une assurance tous risques. Par ailleurs, tu devrais faire vérifier les freins. Il me semble que ça fait longtemps qu'on ne l'a pas fait...

6.

École Albert-Camus
La Directrice

Monsieur et Madame GARDIE
Bât C. Les Jonquilles
7, rue André-Marquet

Madame, Monsieur,

Nous avons à plusieurs reprises eu l'occasion de parler du comportement agressif de votre fils.

D'après notre psychologue scolaire, il existe des traitements efficaces contre ce type de trouble.

Je vous suggère donc de rencontrer notre psychologue dans les meilleurs délais afin qu'elle puisse vous présenter...

b. Classez dans le tableau les formules de demande de la liste ci-dessous ainsi que celles qui sont utilisées dans les lettres.

	Plutôt à l'oral	Plutôt à l'écrit
1. Conseil		
2. Demande de faveur		
3. Ordre		
4. Regret	a. C'est vraiment dommage.	
5. Souhait		
6. Suggestion		

a. C'est vraiment dommage que...
b. J'aimerais bien...
c. À ta place...
d. J'aimerais formuler un vœu...
e. Je vous demande expressément de...
f. J'exige que...
g. Je viens vous demander une faveur...
h. Je voudrais bien...
i. Je souhaite...
j. Je souhaiterais...
k. Je vous conseille de...
l. Je vous propose...
m. Je vous suggère...
n. Je suis en droit d'obtenir...
o. Je regrette que...
p. Il est impératif que...
q. Il serait envisageable de...
r. Il vous serait possible de...
s. Il est regrettable que...
t. Un bon conseil...
u. On aurait pu...
v. Vous devriez...
w. Vous pourriez...
x. Vous voudrez bien faire...
y. Vous serait-il possible de...
z. Vous êtes obligé de...

c. Réécrivez :

- la lettre **1.** en utilisant l'expression du regret pour formuler votre demande ;
- la lettre **2.** en utilisant l'expression du souhait.

Exemple : Reformulation de la lettre **2.** (expression de la demande de faveur).

« Monsieur le Directeur,

Je sollicite de votre bienveillance le poste de responsable du service financier qui sera laissé vacant par monsieur Rigal en juillet prochain. Je vous prie de bien vouloir m'accorder cette faveur car... »

LITTÉRATURE

11 Portraits physiques et psychologiques

a. Le physique révélateur du psychologique.

- **Dans ce portrait, relevez les caractéristiques physiques du professeur Schultze. Indiquez ce que chaque détail peut révéler sur sa personnalité.**

Exemple : – Âge : 45 ou 46 ans → maturité
– Taille : forte →

- **Si vous faisiez le portrait d'un personnage à la manière de Jules Verne, par quels détails physiques montreriez-vous que ce personnage est :**

Exemple : – intelligent → front haut et large...

– hypocrite →
– rusé →
– bon vivant →
– soucieux →
– romanesque →
– grand séducteur malgré ses 55 ans →

b. Attitudes et gestes révélateurs d'une intrigue.

- **Lisez le texte ci-contre. Faites la liste des personnages et notez les détails qui caractérisent chacun d'eux.**

À partir de ces indications, quelles suppositions pouvez-vous faire sur :

– le caractère des personnages ;
– ce qui s'est passé ;
– ce que suggère la dernière phrase du texte.

Exemple : Simon Béjard : yeux rouges → Il est fatigué. Il a peut-être passé la soirée dans un lieu enfumé...

- **À la manière de Françoise Sagan, présentez la scène de la photo de la page 33.**

Le professeur Schultze

C'était un homme de quarante-cinq ou six ans, d'assez forte taille ; ses épaules carrées indiquaient une constitution robuste ; son front était chauve, et le peu de cheveux qu'il avait gardés à l'occiput et aux tempes rappelaient le blond filasse. Ses yeux étaient bleus, de ce bleu vague qui ne trahit jamais la pensée. Aucune lueur ne s'en échappe, et cependant on se sent comme gêné sitôt qu'ils vous regardent. La bouche du professeur Schultze était grande, garnie d'une de ces doubles rangées de dents formidables qui ne lâchent jamais leur proie, mais enfermées dans des lèvres minces, dont le principal emploi devait être de numéroter les paroles qui pouvaient en sortir.

Jules Verne, *Les 500 millions de la Bégum*, 1879.

Les passagers d'un bateau de croisière

Éparpillés par hasard dans un désordre très cinématographique, les [...] passagers montraient, de chaise longue en chaise longue, des mines alanguies[1], des yeux cernés par quelque insomnie plus ou moins plaisante, semblait-il, car les yeux rougis de Simon Béjard, les traits tirés de Clarisse et les joues creuses de Julien, lui-même, n'évoquaient pas cette sérénité promise par les Frères Pottin[2]. Seule Olga, un peu plus loin, et qui faisait semblant de lire, l'air grave, les mémoires posthumes d'un homme politique (qui avait été, déjà, de son présent, fort ennuyeux) montrait une bonne mine, des joues roses de jeune fille. Assis près d'elle, Andréas, l'air sombre et romantiquement beau dans son chandail noir, faisait plus que jamais enfant du siècle (du XIXe bien sûr). Quant à la Doriacci, la tête renversée en arrière, émettant parfois des grognements rauques et inattendus [...], elle fumait cigarette sur cigarette, avant de les jeter, sans méchanceté comme sans complexe, aux pieds d'Armand Bautet-Lebrêche : celui-ci devait alors, chaque fois, se soulever de sa chaise longue, étirer sa jambe hors de la chaise et les éteindre de son soulier verni... Une menace planait quelque part sur ce bateau, parmi ses passagers civilisés.

Françoise Sagan, *La Femme fardée*,

1. Fatiguées, sans énergie.
2. Nom du tour-opérateur qui organise la croisière.

c. **Le portrait dans le Nouveau Roman. Lisez la description de Monsieur Knott par Samuel Beckett. En quoi est-elle absurde ?**

De qui se moque Samuel Beckett ?

Monsieur Knott

Sur la question si importante de l'aspect physique de Monsieur Knott, Watt n'avait malheureusement rien à dire, ou si peu. Car un jour il pouvait être grand, gros, pâle et brun, et le lendemain sec, petit, rougeaud et blond, et le lendemain râblé, moyen, jaune et roux, et le lendemain petit, gros, pâle et blond, et le lendemain moyen, rougeaud, sec et roux, et le lendemain grand, jaune, brun et râblé (…).

Samuel Beckett, *Watt*, Éditions de Minuit, 1969.

12 L'évocation des personnages

a. **Lisez ce poème de Verlaine et résumez son sujet en une phrase.**

b. **Relevez les détails qui évoquent les impressions suivantes :**

– le flou et l'imprécision ;

– les sensations heureuses ;

– la mort.

c. **Notez les différentes images de la femme évoquées dans le poème.**

« inconnue » → la passante qu'on n'aperçoit qu'un instant.

« que j'aime et qui m'aime » → la femme aimée dans une situation idéale.

d. **Dans le premier paragraphe, relevez les répétitions :**

– de constructions et de mots ;

– de sonorités.

Mon rêve familier

Je fais souvent un rêve étrange et pénétrant
D'une femme inconnue, et que j'aime, et qui m'aime,
Et qui n'est, chaque fois, ni tout à fait la même
Ni tout à fait une autre, et m'aime et me comprend.

Car elle me comprend, et mon cœur, transparent
Pour elle seule, hélas ! cesse d'être un problème
Pour elle seule, et les moiteurs[1] de mon front blême[2],
Elle seule les sait rafraîchir, en pleurant.

Est-elle brune, blonde ou rousse ? – Je l'ignore.
Son nom ? Je me souviens qu'il est doux et sonore
Comme ceux des aimés que la Vie exila.

Son regard est pareil au regard des statues,
Et, pour sa voix, lointaine, et calme, et grave, elle a
L'inflexion des voix chères qui se sont tues[3].

Paul Verlaine, *Poèmes saturniens*, 1866.

1. Humidité de la peau.
2. Pâle.
3. Participe passé de « se taire ».

UNITÉ 4

VOCABULAIRE

1 Le patrimoine des villes

a. Lisez ces présentations de grandes villes.
Relevez leurs caractéristiques et classez-les dans le tableau.

Villes	Types de lieux faisant partie du patrimoine et caractéristiques de ces lieux	Évocation du passé	Évocation du présent
Amsterdam	les canaux (nombreux) – les maisons (étroites, en briques, surmontées de pignons...)	le commerce des épices et des diamants, au XVIe siècle...	

b. Trouvez pour chaque texte un sous-titre qui éveille l'intérêt du lecteur.

AMSTERDAM

Au XVIe siècle, les marchands amstellodamois partent à la conquête du marché des épices et des diamants, créant la Compagnie des Indes. Amsterdam entame alors son Siècle d'or avec une fièvre créatrice sans pareille. Cinquante ans suffiront à lui donner sa splendeur : le long de ses cent soixante canaux, surgissent d'étroites maisons en briques surmontées de pignons. Les musées s'emplissent d'œuvres de Vermeer, Ruisdael, Rembrandt... En attendant Van Gogh, autre génie du lieu. Ouverte sur l'étranger, Amsterdam affiche une tolérance intacte. Vous y croiserez punks et hommes d'affaires, prostituées et sages puritains, sans compter une jeunesse impertinente venue de toute l'Europe. Un souffle de liberté rafraîchissant.

SAINT-PÉTERSBOURG

C'est par la mer qu'il faut arriver à Saint-Pétersbourg, pour comprendre la ville. Avec ses cent îles reliées par plus de cinq cents ponts, elle semble posée sur l'eau. Elle est née d'un caprice du tsar Pierre le Grand qui, au XVIIIe siècle, voulut bâtir une cité rivale de Moscou. Architectes italiens, hollandais et allemands construisirent alors, le long de la Neva, mille palais aux façades couleur pastel. Malgré les fissures, ils gardent le souvenir de la magnificence passée. Comme le Palais d'hiver, qui abrite les collections du musée de l'Ermitage, des primitifs italiens aux impressionnistes. Sur l'autre rive, se dresse la statue équestre de Pierre le Grand. Ironie du sort, elle fait face à celle de Lénine, placée devant l'une des gares de la ville...

ROME

Capitale d'empereurs cruels ou débonnaires, de patriciens esthètes, d'artistes géniaux et d'une papauté omniprésente, Rome abrite l'un des plus fabuleux héritages de l'humanité. Marcher dans la vieille ville, c'est passer de la Rome antique et colossale, avec le Colisée ou le Panthéon, à celle du baroque, avec ses églises et ses palais jaunes et ocre. Et partout, des places aux fontaines ruisselantes, rendez-vous des Romains qui se délassent en dégustant glaces ou Campari avant de retrouver l'agitation des ruelles environnantes. Car Rome, c'est aussi un joyeux capharnaüm avec ses embouteillages et les pétarades des scooters, une fête permanente où légèreté et insouciance sont érigées en art de vivre.

SÉVILLE

Phare économique et culturel au XVe siècle, Séville fut d'abord arabe et juive avant de devenir chrétienne. Cela lui a valu un héritage exceptionnel, demeuré intact dans tout le centre historique. Emblème de la cité, la Giralda, clocher de 97 m de haut, est en fait le minaret de l'ancienne mosquée des Almohades. À côté de la cathédrale, le Patio des orangers servait jadis de lieu d'ablution aux musulmans. Tout près, les murailles crénelées de l'Alcazar abritent de poétiques jardins et l'ancien palais maure. Vous flânerez ensuite dans le *barrio* de Santa Cruz, l'ancien quartier juif ; vous longerez le Guadalquivir, vers l'arsenal et la *plaza de toros* de la Maestranza... L'arène où Carmen vit mourir son toréador et amant.

Prima, mai 1995.

2 La maison du futur

1. Observez le projet de salle de bains du futur.

Rédigez une brève présentation de ce projet.

Exemple : La salle de bains du futur vous permettra...
Grâce à ces divers appareils, vous pourrez...

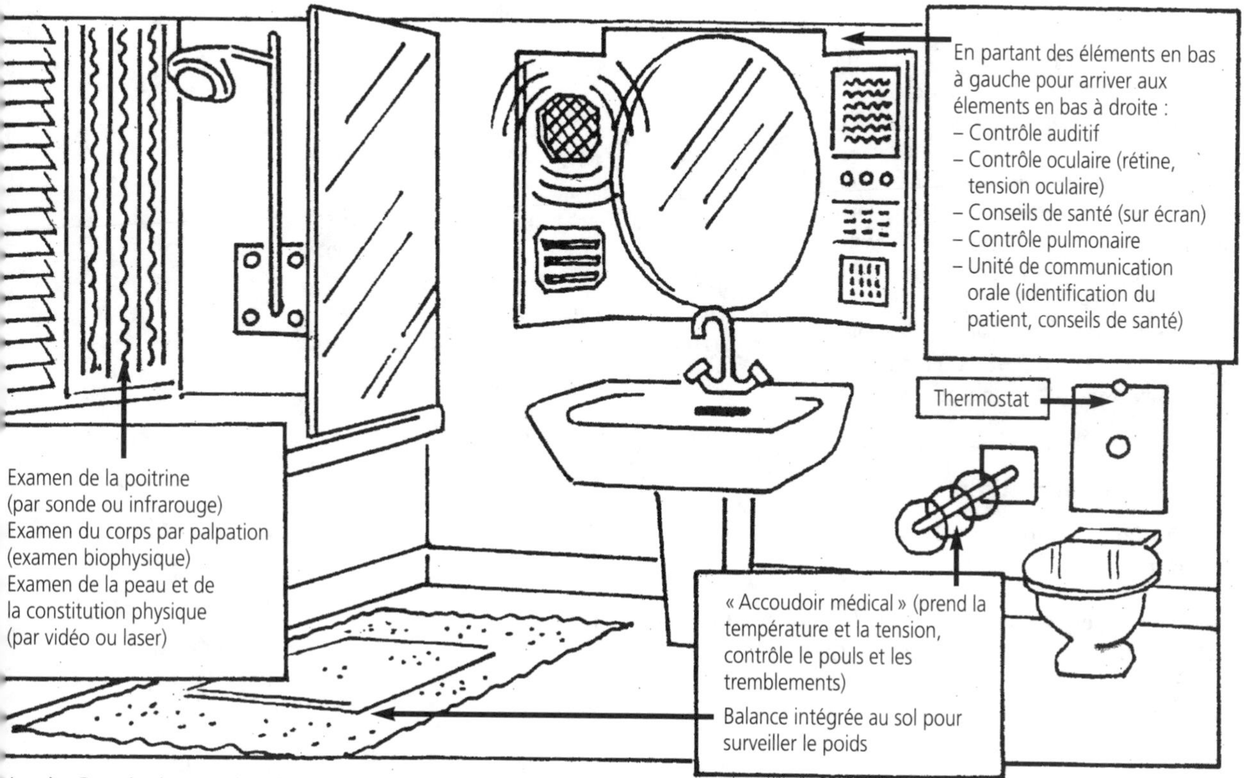

En partant des éléments en bas à gauche pour arriver aux élements en bas à droite :
– Contrôle auditif
– Contrôle oculaire (rétine, tension oculaire)
– Conseils de santé (sur écran)
– Contrôle pulmonaire
– Unité de communication orale (identification du patient, conseils de santé)
Thermostat
Examen de la poitrine (par sonde ou infrarouge)
Examen du corps par palpation (examen biophysique)
Examen de la peau et de la constitution physique (par vidéo ou laser)
« Accoudoir médical » (prend la température et la tension, contrôle le pouls et les tremblements)
Balance intégrée au sol pour surveiller le poids

D'après *Courrier international*, septembre 1996.

2. Indiquez sur le dessin l'endroit où l'on peut détecter les maladies ou handicaps suivants :

1. l'asthme – 2. la bronchite – 3. le cancer du sein – 4. le diabète – 5. la fièvre –
6. la grippe – 7. l'hypertension – 8. la myopie – 9. l'obésité – 10. la surdité.

3. En utilisant le vocabulaire ci-contre, imaginez une ou plusieurs pièces de la maison future du sportif.

Exemple : Couloir faisant le tour de l'appartement (soit 40 m) et permettant de faire le jogging matinal.

***NB :* Vous pouvez aussi choisir un autre type de maison du futur : la maison de l'amateur de western (on est assis sur des chevaux de bois), celle du mélomane (les tables de nuit sont des haut-parleurs), etc.**

- ▲ *courir (faire du jogging)*
- ▲ *grimper*
- ▲ *sauter*
- ▲ *glisser*
- ▲ *soulever*
- ▲ *lancer*
- ▲ *attraper*
- ▲ *faire de la musculation (des tractions, des étirements)*
- ▲ *faire des exercices d'assouplissement*
- ▲ *travailler l'équilibre, la résistance, l'adresse, etc.*

3 Autour de la famille

a. Lisez l'article ci-dessous. Résumez en deux phrases les idées qu'il développe.

« On croit habituellement que... Mais en fait, ... »

PÈRE-MÈRE
À CHACUN SON RÔLE

Les parents échangeant de plus en plus souvent leur rôle, se partageant les tâches, donnant tour à tour biberons et câlins, on serait volontiers tenté de conclure que chacun peut pallier l'absence de l'autre. Et quand l'absent est le père – ce qui est le cas dans 13 % des familles – la mère ne doit guère avoir de peine à le remplacer. Il devrait suffire de savoir hausser la voix, jouer au ballon et dire non de temps à autre...

Pas si simple ! Les spécialistes de l'éducation sont formels : il y a danger à confondre les rôles parentaux, risque à les croire interchangeables.

Sauf allaiter, les hommes peuvent apparemment tout faire avec un bébé. Pourtant, un biberon donné par un homme ou un biberon donné par une femme ne sera jamais le même biberon. En résumé aux allures de lapalissade, un père « paterne » et une mère « materne ». Et cela est lourd de conséquences sur le développement de l'enfant. Un père qui change les couches d'un bébé lui parle peu, sourit à peine, ne le touche que de ses mains. Une mère, en revanche, approche constamment son visage, caresse son enfant avec son nez, sourit, gazouille. Bilan de cette opération : le bébé sera peut-être tout aussi bien changé et nettoyé, mais l'effet psychologique induit par cette étape hygiénique diffère.

Emilie Lanez, *Le Point*, 23 septembre 1995.

b. L'idée de répartition.

- **Complétez le tableau suivant avec des verbes trouvés dans le texte et dans la liste ci-contre.**

Idée de « mettre à la place de... »	Idée de « donner en même temps qu'on reçoit »	Idée de distribution
doubler (une personne)		distribuer

- (se) distribuer
- doubler
- (se) communiquer
- intervertir
- (se) répartir
- (se) relayer
- (se) substituer
- transférer
- troquer
- suppléer

- **Complétez avec un verbe du tableau.**

1. Claire et François ont complètement ... les rôles traditionnels des membres du couple : François reste à la maison et c'est Claire qui va travailler.
2. L'école peut difficilement ... à une mauvaise éducation des enfants par les parents.
3. Le petit Florent a eu un accident et doit rester immobile pendant quinze jours. Ses parents ... auprès de lui pour le distraire.
4. Au marché aux puces il a réussi à ... deux livres anciens contre une vingtaine de BD.

c. La répartition des rôles entre la mère, le père et l'école.

- **Relevez dans le texte tout ce que font les parents quand ils s'occupent de leurs enfants.**

Exemple : 1. donner le biberon – 2. faire des câlins – 3. ...

Placez ces activités dans le diagramme ci-dessous selon qu'elles vous paraissent plus ou moins proches du rôle de la mère, du père ou de l'école.

Complétez le diagramme avec les activités ci-contre.

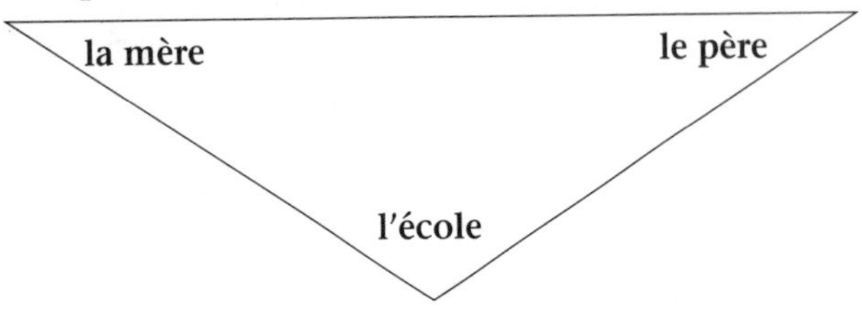

- apprendre à manger seul
- développer les aptitudes manuelles
- développer les aptitudes intellectuelles
- raconter des histoires
- gronder (réprimander)
- apprendre la politesse / la ponctualité / l'ordre
- donner des habitudes de travail
- aider à faire les devoirs de l'école
- jouer avec un jeu de construction

4 Les pronoms relatifs *qui, que, où, dont*

Complétez avec un pronom relatif.

La ville de Bergerac.

La ville de Bergerac, ... se trouve en Dordogne, s'élève au cœur d'un vignoble prestigieux ... le nom le plus célèbre est le Montbazillac, un vin blanc doux ... on boit avec les desserts.

Au XIXe siècle, Bergerac était un port sur la Dordogne ... permettait le transport des vins jusqu'à Bordeaux. Ce port connaissait une activité intense ... le musée du vin témoigne aujourd'hui.

Dans la vieille ville ... on découvre de belles maisons du XVIe siècle, l'activité artisanale et commerçante est encore importante.

Mais Bergerac a aussi une particularité. Elle est célèbre pour un personnage ... on voit la statue sur une place de la ville mais ... n'a jamais vécu à Bergerac. Il s'agit du fameux Cyrano de Bergerac, héros d'une pièce d'Edmond Rostand. Quant au véritable Cyrano de Bergerac, ... était un philosophe du XVIIe siècle et ... Rostand a pris pour modèle, il n'a jamais quitté la région parisienne.

5 Les pronoms relatifs composés *auquel, lequel, duquel* et dans leurs différentes formes (*à laquelle, auxquels*, etc.)

a. Complétez avec une forme de *auquel, lequel, duquel*.

Les symboles de la République.

La plupart des symboles ... les Français sont attachés datent de la Révolution de 1789. C'est le cas en particulier :

- du *drapeau national* avec les couleurs bleu et rouge de la garde républicaine de Paris ... s'oppose le blanc de la royauté ;
- du *buste de Marianne* ... de célèbres artistes comme Catherine Deneuve et Mireille Mathieu ont prêté leurs traits ;
- du *bonnet phrygien* qui coiffe Marianne et grâce ... on reconnaissait les révolutionnaires en 1792 ;
- de l'*hymne national* « La Marseillaise », un chant avec ... les révolutionnaires marseillais ont fait leur entrée dans Paris en 1792 ;
- *les mots « Liberté, Égalité, Fraternité »* ... s'inspirent les grandes lois de la République.

b. Combinez les deux phrases en une seule en utilisant un pronom relatif composé.

- Les *initiales R.F.* (République française) datent aussi de la Révolution. Avec ces initiales, on officialise les documents.
- La *Légion d'honneur* est une décoration créée par Napoléon. On récompense les mérites civils et militaires avec cette décoration.
- Le *coq* gaulois symbolise la vigilance du peuple français. Le coq républicain s'inspire du coq gaulois.
- L'*ENA* (École nationale d'administration) peut aussi être considérée comme un symbole de la République. La plupart de ceux qui dirigent la France sortent de cette école.
- Le *calendrier républicain* n'a pas connu un grand succès et a disparu en 1806. Les révolutionnaires avaient supprimé dans ce calendrier toutes les références religieuses.

La chanteuse Line Renaud vient de recevoir la Légion d'honneur.

6 Les emplois de *dont*

Dans les groupes suivants, combinez la deuxième phrase avec la première en utilisant le pronom *dont*.

Exemple : 1. Agnès fait partie de plusieurs associations dont l'ATD.

1. Agnès fait partie de plusieurs associations. Parmi ces associations, il y a l'ATD.
2. L'ATD (Association pour le théâtre et la danse) organise des spectacles dans les différents théâtres de la ville. Agnès est présidente de cette association.
3. L'ATD présente souvent des pièces de Molière. Agnès est spécialiste de Molière.
4. *Le Malade imaginaire* a été monté récemment par cette association. Agnès a joué l'un des personnages du *Malade imaginaire*.
5. Cette pièce compte douze personnages. Parmi ces personnages, il y a trois femmes et une petite fille.
6. La mise en scène de cette pièce était très originale. Agnès s'en était occupée.
7. En effet, *Le Malade imaginaire* a été joué dans son intégralité. Généralement, on supprime les scènes dansées de cette pièce.
8. Cette représentation a été la meilleure production de l'ATD. La presse a beaucoup parlé de cette représentation.

7 La construction pronom démonstratif + pronom relatif

Complétez avec *celui* (*celle, ceux, celles, ce*) + *qui* (*que, où, dont, auquel*).

Deux amis arrivent à La Rochelle par bateau.

– Nous passons devant le port de La Pallice.

– C'est *celui où* est né le célèbre Monsieur de La Palice ?

– Pas du tout. Ça ne s'écrit pas pareil. C'est un port qui n'a été créé qu'à la fin du XIXe siècle. Avant, ici, c'était la campagne. Il y avait des paysages magnifiques.

– ... Eugène Fromentin a parlé dans son roman *Dominique* ?

– Exactement. Je vois que tu connais tes classiques. Et maintenant, nous arrivons à l'ancien port.

– ... les impressionnistes ont souvent peint ?

– Oui. Puisque tu es si cultivé, je ne vais pas te raconter le siège de La Rochelle !

– Le siège de La Rochelle ? ... a participé d'Artagnan, le héros des *Trois Mousquetaires* ?

– Ça, c'est ... raconte Alexandre Dumas, l'auteur. La réalité est différente. On sait que le vrai d'Artagnan n'avait que 10 ans au siège de La Rochelle : ... fait qu'il ne pouvait pas être encore un grand militaire. Mais nous entrons dans le port. Voici les tours qui défendaient l'entrée. ... tu vois à droite, c'est la tour Saint-Nicolas, une véritable forteresse. Et ... lui fait face, c'est la tour de la Chaîne. On l'appelle ainsi parce que, autrefois, le port était fermé par une chaîne.

– Ah ! ... se servait Gargantua pour attacher son fils Pantagruel dans son berceau !

– Tout à fait.

8 Le subjonctif dans l'expression de la singularité

a. Reformulez les phrases comme dans l'exemple.

À la fin d'une soirée, on félicite la maîtresse de maison.

Exemple : Quel bel appartement ! → C'est le plus bel appartement que j'aie jamais vu.

- Nous avons fait un repas original → ...
- Nous avons bu un très bon vin → ...
- C'est mon premier repas finlandais → ...
- Votre appartement est vraiment bien décoré → ...
- Jamais nous n'avons rencontré de personnes aussi charmantes → ...

b. Reformulez les phrases comme dans l'un des exemples du dessin.

Après la soirée, ils parlent de la maîtresse et du maître de maison.

- Ce sont des amis que je vois régulièrement. Ce sont bien les seuls.
- Je me sens bien dans cette maison. C'est la seule.
- Ce sont des personnes qui m'ont accueilli à mon arrivée à Paris. Ce sont les premières.
- Il a un unique défaut : il est un peu bavard.
- Il n'y a qu'un pays qu'il n'a pas visité : c'est l'Australie. Mais c'est bien le seul.

Le seul plat qu'elle ne réussisse pas c'est le bœuf bourguignon.
C'est la seule femme qui fasse bien le civet de lapin.

9 Les mots interrogatifs

Complétez avec « *à qui / quoi* » – « *de qui / quoi* » – « *lequel (laquelle...)* » – etc.

Une journaliste interviewe un berger qui garde ses moutons en Lozère (département situé dans le sud du Massif central).

LA JOURNALISTE : Vous ne vous ennuyez pas trop, ici, tout seul pendant des mois ? ... parlez-vous ?

LE BERGER : Je parle à mes chiens, à mes brebis.

LA JOURNALISTE : Mais ... pensez-vous toute la journée ?

LE BERGER : Je pense à mon travail, tiens !

LA JOURNALISTE : Justement, ... vous occupez-vous plus précisément ?

LE BERGER : Vous savez, du matin au soir, ça n'arrête pas. Il faut surveiller le troupeau, partir à la recherche des brebis égarées, soigner les animaux malades.

LA JOURNALISTE : ... les soignez-vous ?

LE BERGER : J'ai une réserve de médicaments. Je suis un peu vétérinaire !

LA JOURNALISTE : En somme, il n'y a que le soir que vous pouvez vous reposer ?

LE BERGER : Et encore, il faut se méfier.

LA JOURNALISTE : ... devez-vous vous méfier ? Des voleurs ?

LE BERGER : Non, des animaux sauvages.

LA JOURNALISTE : ... plus précisément ?

LE BERGER : Ben, des renards mais surtout des loups. Ils ont été réintroduits ces dernières années.

LA JOURNALISTE : Mais si un de vos moutons est tué par un loup, on vous dédommage ?

LE BERGER : Oui !

LA JOURNALISTE : ... vous adressez-vous pour ça ?

LE BERGER : À la direction du parc naturel.

LA JOURNALISTE : Si vous deviez changer de métier, ... choisiriez-vous ?

LE BERGER : Je travaillerais pour le parc naturel.

LA JOURNALISTE : Et donc, vous défendriez les loups !

ÉCRIT

10 Rechercher des informations dans un texte

a. Lisez le texte suivant.

Cette année, à l'occasion de la traditionnelle fête des vendanges, Montmartre honore[1] la mémoire de Francisque Poulbot (1879-1946), artiste de la Butte, dont le nom désigne maintenant les enfants de ce village parisien. Quel rapport y a-t-il entre Poulbot et la vigne qui pousse sur la plus haute colline de Paris ? C'est en 1929 qu'un conseiller municipal décide de construire des « habitations à bon marché » (ancêtres de nos HLM) sur le terrain situé à l'angle de la rue des Saules et de la rue Saint-Vincent. Poulbot, un dessinateur qui, quelques années plus tôt, a installé son atelier à Montmartre et créé une association pour venir en aide aux enfants déshérités du quartier, organise alors avec ses amis une opération commando : suivant les directives d'un architecte et d'une trentaine de terrassiers[2], le terrain vague[3] est transformé en square.
En deux jours, plus de mille arbustes sont plantés, quelques statues installées et ce coin de verdure est baptisé « Square de la liberté ». Les autorités sont mises devant le fait accompli. Quatre ans plus tard, le site s'est dégradé faute d'entretien. On décide alors d'y planter un vignoble, renouant avec une tradition remontant à l'époque gallo-romaine. En 1934 ont lieu les premières vendanges d'où est tiré le fameux « Cru[4] Montmartre ». Depuis, chaque premier dimanche d'octobre, les Montmartrois invitent les confréries du vin de toutes les régions de France à se joindre à eux et à défiler avec les poulbots pour célébrer le vin de leur précieuse vigne.

D'après la brochure du comité des fêtes du 18e arrondissement de Paris, 1996.

1. Célébrer, mettre à l'honneur. – **2.** Ouvrier chargé de modifier l'aspect des terrains (aplanissement, etc.). – **3.** Terrain laissé à l'abandon. – **4.** Vignoble considéré du point de vue de sa production.

b. Faites une chronologie des évènements racontés dans ce texte.

1929 : décision de construire à Montmartre…

c. Trouvez les mots ou expressions qui servent à nommer Montmartre.

d. À partir des informations trouvées dans le texte, rédigez un article de dictionnaire à propos du mot « Poulbot » (définition, informations, exemples).

e. Vous organisez cette année la fête des vendanges de Montmartre (premiers jours d'octobre).
En vous appuyant sur les informations données dans le texte, faites une liste de manifestations possibles.

Exemple : Matin : cueillette de la première grappe de raisin par…

11 Rechercher des opinions dans un texte

a. **Lisez le titre et le premier paragraphe de l'article suivant. Observez les photos. Quel est le problème qui est posé ?**

CARNAVAL

NICE : LES ANCIENS ET LES MODERNES

Carnaval sera-t-il encore Carnaval ? Tout Nice se pose la question depuis l'entrée en scène d'un certain Gad Weil, connu pour ses moissons de blé sur les Champs-Élysées.

Appelé à la rescousse de ces festivités en déclin, Gad Weil fait craindre le pire aux défenseurs d'un carnaval traditionnel. Jean Damiano, 67 ans, qui dessine chars et grosses têtes, s'insurge : *« D'accord pour les changements, mais il ne faut pas toucher à notre patrimoine. Pensez qu'il a même été envisagé de faire des personnages en polyester... »*

La trahison suprême... *« Le carnaval, c'est l'art du carton-pâte et des sculptures monumentales. Un art dont les racines remontent au XVIIIe siècle et qui est celui de l'éphémère, de la dérision et du grotesque dont les peuples ont besoin pour exorciser leurs peurs »*, explique une experte, fille d'une très ancienne famille de carnavaliers.

Les carnavaliers font donc de la résistance face aux conceptions ultramodernistes des nouveaux maîtres, qui répondent effets spéciaux, lasers et plastique quand on leur parle de caricatures grimaçantes en papier collé violemment coloré.

Jacques Peyrat, maire de Nice, brandit le drapeau blanc de la réconciliation entre modernité et tradition. Il tient à ce renouveau et il n'a pas hésité à faire passer le budget de 21 à 24 millions de francs.

Ce qui fait dire aux sujets de Sa Majesté Carnaval, dont l'une des fonctions (traditionnelles) est de se moquer des puissants : *« Gad Weil, le blé, il sait où le faire pousser et comment le ramasser... »*

Roger Bianchini,
Le Point,
21 septembre 1996.

La Grande Moisson organisée en 1990 sur les Champs-Élysées à l'initiative du Centre national des jeunes agriculteurs a reçu en une journée un million de visiteurs. Un hectare de blé mûr disposé sur la célèbre avenue a été fauché à l'occasion de cette manifestation.

b. **Lisez le reste du texte. Notez ce que doit être le carnaval :**
   - pour les partisans de la tradition ;
   - pour les partisans de la nouveauté.

c. **Caractérisez l'attitude du maire de Nice.**

d. **Quels sont les deux sens du mot « blé » qui font l'humour de la dernière phrase ?**

e. **Vous êtes le président de l'association qui organise le carnaval de Nice. Un journaliste vous pose les questions suivantes. Répondez-lui.**

- Certains disent que Gad Weil serait chargé d'organiser le futur carnaval.
  Pouvez-vous nous confirmer cette information ?
- Pourquoi avez-vous fait appel à cet organisateur de festivités ?
- Ce choix fait-il l'unanimité à Nice ?

LITTÉRATURE

12 Utopie et roman d'anticipation

Voici le début des *Lutteurs immobiles*, roman fantastique de Serge Brussolo.

a. Lecture des lignes 1 à 20.

- **Vocabulaire. Au fur et à mesure de votre lecture, trouvez les mots qui signifient :**

– d'une couleur brillante et éclatante ;
– dominer ;
– la foule ;
– lieu où l'on dépose les ordures d'une ville ;
– qui n'est plus neuf ;
– le gaspillage (les dépenses inutiles).

- **La scène. De qui parle-t-on ? Où est le personnage ? Que fait-il ?**
- **L'affiche. Présentez cette affiche en quelques mots :**

– forme et dimensions ;
– contenu de l'image ;
– contenu du texte.

- **La S.P.O. En France, tout le monde connaît la S.P.A. (Société protectrice des animaux). Que peut signifier le sigle S.P.O. inventé par l'auteur ?**

b. Lecture des lignes 21 à 30.

- **Vocabulaire. Au fur et à mesure de votre lecture, trouvez les mots qui signifient :**

– avaler difficilement sa salive ;
– remplir ;
– champignons microscopiques qui se développent sur les objets dans des atmosphères sombres et humides ;
– petit disque de métal ;
– fixer à l'intérieur.

- **Faites un schéma simple du dispositif qui est décrit dans ce paragraphe.**

c. Lecture des lignes 31 à 54.

- **Vocabulaire. Relevez les mots qui signifient :**

– faire une marque en profondeur ;
– la date limite autorisée ;
– personne qui ramasse les ordures.

- **Relevez et classez tous les mots en relation avec l'idée de loi :**

– la loi : le délai prescrit ;
– l'infraction ;
– la punition ;
– le contrôle.

- **Résumez en une phrase la loi qui est exposée dans ce paragraphe.**

d. L'État imaginaire et utopique.

Présentez brièvement l'État (la société) dans lequel vit David.

- Type de gouvernement (démocratique, libéral, etc.)
- Dirigeant(s)
- Loi principale
- Morale et religion :
  – conception du bien ;
  – conception du mal ;
- Origine de cet État (circonstances qui ont favorisé son apparition).

e. Réalité et fantastique.

- **Quels sont les aspects du monde contemporain qui sont critiqués par Serge Brussolo ?**
- **À partir des aspects du monde contemporain illustrés par les photos p. 42-43, imaginez un État fantastique (comme celui que décrit S. Brussolo).**
  Présentez-le comme dans l'exercice d.

« PLUS JAMAIS ÇA ! » proclamait l'affiche.

Les lettres rutilantes occupaient toute la base du panneau publicitaire surplombant la cohue des voitures.

« Plus jamais ça ! » …

David pencha la tête, essayant de distinguer la suite des inscriptions par la vitre latérale du taxi. La photo géante – quinze mètres sur dix – représentait un paysage de décharge publique. […] Un texte en capitales jaunes avait été surimprimé à cette vision d'abandon, il disait :

« De cette décharge ont été retirés INTACTS :
– 64 tasses à café, 150 couteaux, 28 plats en matière plastique colorée, 133 casseroles, 37 marmites, 85 poupées dormeuses, 15 ours en peluche lavable, 128 voitures miniature, 22 ballons, 3 bicyclettes !

Tous ces objets, quoique défraîchis, étaient parfaitement aptes à subir encore de longues années d'utilisation intensive !

Halte au gâchis ! LA SPO VEILLE ! »

David déglutit, mal à l'aise. L'humidité du boulevard pénétrait à l'intérieur du véhicule, l'emplissant d'une vague odeur de moisissure. Le jeune homme releva le col de son imperméable, croisa nerveusement les jambes. Dans le mouvement, son œil accrocha une nouvelle fois la pastille argentée collée au talon de chacun de ses souliers. C'était un disque métallique gros comme une pièce de monnaie, et solidement implanté dans le bloc de la semelle. Un texte en creux occupait toute sa surface :

« Durée d'utilisation minimum : deux ans. Date d'acquisition : 6 novembre 2005. »

Tous les vêtements de David portaient des marques semblables.

Des visas d'utilisation minimum lui interdisant de s'en débarrasser avant la date légale. Que vous achetiez une cravate, un stylo-bille, un pardessus ou une casserole, le processus était le même : le vendeur gravait aussitôt le numéro de votre carte d'identité informatique sur la pastille accrochée à l'objet en question. Si plus tard vous aviez le malheur de jeter la cravate ou le stylo-bille avant le délai prescrit, et qu'un policier-éboueur mette la main dessus au cours d'un contrôle d'ordures ménagères, la sanction ne tardait jamais à tomber : corvée ou peine de prison selon la gravité de l'infraction. David y avait goûté, comme beaucoup d'autres. […]

Et il avait fallu apprendre à réfréner des réflexes inculqués par des dizaines d'années de gâchis légalisé. Des millions de contribuables avaient ainsi tâté du cachot et des corvées gratuites de week-end. Des patrouilles de contrôle pouvaient vous arrêter à tout moment, perquisitionner dans votre appartement à n'importe quelle heure du jour et de la nuit.

Serge Brussolo, *Les Lutteurs immobiles*,
Denoël, 1997.

UNITÉ 5

VOCABULAIRE

1 La confiance et la méfiance

a. Lisez l'article ci-contre. Retrouvez les problèmes auxquels l'auteur fait allusion.

- Maladie contractée par un animal à cause de son alimentation et qui peut être transmise à l'homme → *maladie de la vache folle.*
- Accident dans un réacteur nucléaire →
- Augmentation du taux des gaz toxiques dans l'atmosphère →
- Réchauffement de l'atmosphère →
- Reproduction d'un être vivant par division d'une de ses cellules →
- Modification d'un être vivant par apport de gènes →

■ En mai, il y eut les vaches folles et le lait empoisonné. En avril, les inquiétudes sur les vraies conséquences de Tchernobyl. En décembre 1995, l'air devint irrespirable dans Paris. Depuis quelque temps, déjà, l'effet de serre, le trou dans l'ozone, la prolifération nucléaire semblent menacer la planète. Et les généticiens, avec leurs clones, leurs manipulations d'embryons, leurs rêves d'éternité, jouent les apprentis sorciers. Comme si la science et ses applications, ces moteurs du progrès, s'étaient emballées hors de tout contrôle. Comme si elle était devenue une menace plutôt qu'un bienfait. Et pourtant, dans ce climat d'incertitude, de risques permanents, les Français gardent une formidable confiance dans le progrès scientifique. Un crédit teinté néanmoins d'angoisse. Mais cette confiance indéniable et ce besoin de science sont doublés d'une inquiétude latente qui s'exprime clairement dans le sondage : 71 % de nos concitoyens craignent, un jour, d'être victimes d'une erreur, d'un savant fou, de recherches qui vont trop loin, de dérives de la médecine. Pis, les avancées de la recherche font peur, très peur même dans certains domaines. ■

Françoise Harrois-Monin
L'Express, 13 juin 1996.

b. Relevez le vocabulaire en relation avec les idées de méfiance et de confiance. Classez les mots dans le tableau.

Idée de méfiance		Idée de confiance	
Sentiments	**Causes Manifestations négatives**	**Sentiments**	**Causes Manifestations positives**
l'inquiétude ...	menacer	...	...

c. Lisez le sondage ci-contre. Pour chacun des domaines scientifiques énumérés, trouvez une cause possible de peur.
Utilisez le vocabulaire ci-dessous.

Exemple : la procréation artificielle → On pourrait créer une copie d'un homme sans le consulter...

■ créer – (ne pas) contrôler – (ne pas) maîtriser – miniaturiser – modifier – manipuler – multiplier

■ des armes puissantes – le comportement des hommes – la copie d'un être vivant – les effets secondaires des médicaments – un accident dans un réacteur nucléaire – l'identité d'un homme – les objets en suspension au-dessus de la Terre

71 % des Français estiment qu'ils pourraient être un jour victimes de la science.

Pensez-vous que dans chacun des domaines suivants les scientifiques vont trop loin ?

	Oui	Non	NSP*
La procréation artificielle	66 %	29 %	5 %
La recherche militaire	60	32	8
L'énergie nucléaire	60	36	4
La génétique	51	45	4
L'alimentation	32	65	3
La recherche spatiale	29	66	5
Les nouvelles technologies de l'information et de la communication telles que les satellites	27	71	2
L'informatique	26	69	5
La médecine	13	86	1

* Ne savent pas

L'Express (sondage réalisé par IPSOS), 13 juin 1996.

d. Que pourriez-vous dire dans les situations suivantes :

– quand vous avez confiance. *Exemple :* 1. → d,...

– quand vous n'avez pas confiance. *Exemple :* 1. → i...

Situations	Expressions de la confiance	Expressions de la méfiance
1. Votre médecin vous prescrit un traitement qui vient juste d'être expérimenté. 2. Un collègue de travail vous a promis de vous remplacer vendredi prochain. 3. Un ami vous demande de signer une pétition sur un problème que vous ne connaissez pas. 4. Votre voisin vous a promis de s'occuper de votre chien et de vos chats pendant votre voyage. 5. Vous êtes commerçant. Vous venez d'engager un employé. De l'argent disparaît de la caisse.	a. Je compte sur lui. b. Je le fais les yeux fermés. c. Je n'ai aucun soupçon. d. Je lui (vous) fais confiance. e. Je peux dormir sur mes deux oreilles. f. Je ne me fais aucun souci. g. Je m'en remets à lui.	h. Je demande à voir. i. Je suis méfiant. j. On ne peut pas se fier à lui. k. Je ne lui (vous) fais pas confiance. l. Je suis sur le qui-vive. m. Je l'ai à l'œil (*fam.*). n. Je fais gaffe (*fam.*).

2 L'informatique

a. Complétez la légende du schéma ci-dessous avec les mots suivants.

Exemple : 1. une unité centrale.

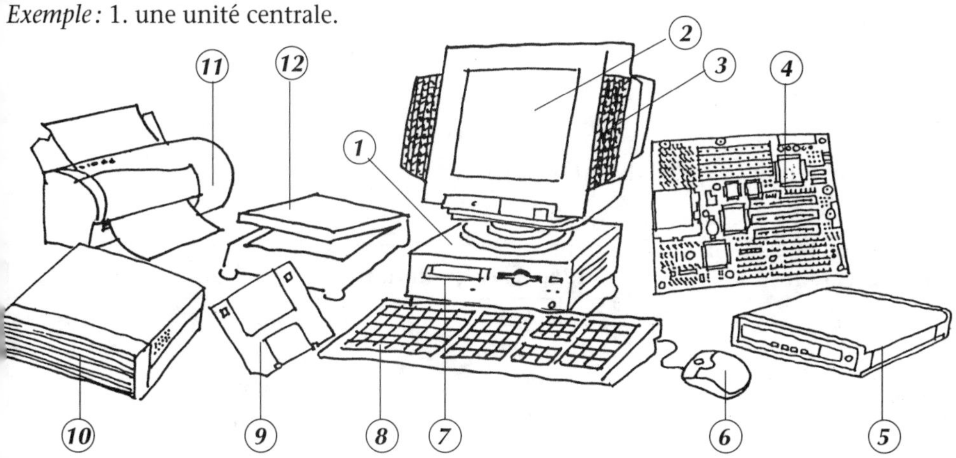

une carte mère (vidéo, son, etc.) ...
un clavier ...
un disque dur ...
une disquette ...
un écran ...
une enceinte ...
une imprimante ...
un lecteur (de CD-Rom, de CD audio, etc.) ...
un modem ...
un scanner ...
une souris ...
une unité centrale. ...

b. Complétez le dialogue avec les verbes de la liste.

Deux étudiants en sciences de la nature bavardent.

LUC : Tu te débrouilles bien avec ton ordinateur pour faire ton mémoire ?

LÉA : Oui, je suis en train de ... la conclusion. Avant hier, j'ai eu un problème. Je venais de ... vingt pages. Il y a eu une panne de courant. J'avais oublié de ... . J'ai dû recommencer.

LUC : Tu es satisfaite de ton traitement de texte ?

LÉA : C'est formidable. Avec la souris, il suffit de ... et on peut modifier, déplacer, couper le texte.

LUC : Et pour les images, comment tu fais ?

LÉA : Je ... les photos que j'ai faites et je les ... dans ma page. J'aurai fini ce soir. Il ne me restera qu'à compléter avec des références bibliographiques que je dois trouver en bibliothèque.

LUC : Si tu étais ... sur l'Internet, tu pourrais te ... avec une bibliothèque scientifique.

Les opérations informatiques.

- mettre en service un ordinateur – cliquer sur une icône – ouvrir un dossier – sauvegarder (mettre en mémoire)
- se brancher sur – se connecter avec
- le traitement de texte : saisir un texte – taper/effacer – couper – déplacer – scanner – insérer un document – tirer sur papier (imprimer)

3 L'existence et le manque

Complétez en n'utilisant qu'une fois certains verbes de la liste.

a. Exprimez l'existence.

Université internationale.

Dans ma ville ... une université où ... une atmosphère très internationale.
Des étudiants du monde entier ... dans cette université. Des étrangers qui viennent faire des études en France, ça ... de plus en plus. Il faut dire que dans cette université ... un excellent centre d'étude pour la langue française.

- exister (il existe)
- il y a
- régner (il règne)
- se rencontrer
- se trouver
- se voir

b. Exprimez le manque.

Neige sur la ville.

La vague de froid qui s'est installée sur la ville a été d'autant plus catastrophique que les services municipaux étaient ... de tout équipement nécessaire. Les chasse-neige en particulier ont fait cruellement ... .
Dans notre collège, beaucoup d'élèves ... et plusieurs professeurs ... . La ville ... d'électricité pendant 24 heures et comme les routes étaient bloquées il y a eu ... de fioul domestique. Les journaux ont dénoncé les ... des autorités.

- une absence (être absent)
- une carence
- un défaut (faire défaut)
- être dépourvu (de...)
- une pénurie
- être privé (de...)
- manquer

4 État des lieux

Utilisez les verbes du tableau pour imaginer ce qu'ils disent. Continuez comme dans les exemples.

a. Un cadre d'entreprise se plaint de la gestion catastrophique du nouveau directeur.

Le climat général **s'est dégradé**. Il faut le **restaurer**.
Les services... Les liens entre le personnel et la direction... Les méthodes de travail... Les machines...

Idée de dégradation	Idée de réparation
arracher	améliorer
bouleverser	arranger
casser	laver
couper	nettoyer
déchirer	raccommoder
dégrader	recoller
démolir	reconstruire
désorganiser	recoudre
détériorer	remettre
détraquer	réparer
dévaster	restaurer
endommager	rétablir
tacher	

b. La propriétaire a loué son appartement à un couple de maladroits qui ont un « enfant terrible ». Après leur départ elle fait un état des lieux.

C'est incroyable. Il y a des vitres **cassées**. Il faut les **changer**.
Les rideaux...
Le beau vase qui était sur la cheminée... La pendule...
Leur enfant a fait de la peinture et les murs...
Le portemanteau...

c. Il y a eu une terrible tempête sur l'île.

C'était terrible. La toiture de ma maison a été **arrachée**. Il faut la **refaire**.
Les cultures... Les bungalows du bord de la plage... Les fils électriques...

GRAMMAIRE

5 L'expression du futur par le présent, le futur proche ou le futur

Mettez les verbes entre parenthèses au futur, au futur proche ou au présent, selon que vous estimez que, dans l'esprit de celui qui parle, l'action est éloignée ou proche du moment présent.

NB : Il peut y avoir plusieurs réponses possibles.

• ***Conflit entre un père et son fils.***

Dans cinq ans, tu (être) majeur. Tu (faire) ce que tu (vouloir). Mais pour le moment, c'est moi qui (décider). Alors tu (faire) tes devoirs tout de suite avant d'aller jouer.

• ***Il faut se dépêcher.***

Nous (être) en retard. Le film (commencer) dans 10 minutes. Nous ne (trouver) que des places au premier rang. (Courir) un peu ! Ça nous (réchauffer).

• ***Décision avant l'hiver.***

Dans quelques semaines on (être) en hiver.
La saison des sports d'hiver (commencer).
Cette année je (faire) du ski.
Mais mon équipement (être) vieux et démodé.
Demain, je m'(acheter) un équipement complet.

6 Situation dans le temps et la durée

Complétez avec une expression de la liste.

Perspectives pour le XXIe siècle.

• **Automobile**

... à quelques années, les voitures ne fonctionneront plus à l'essence.

..., les voitures électriques existent.

Il est probable que ... cinq ans, elles occuperont une place importante sur le marché.

Certes, tout le parc automobile ne sera pas renouvelé ... quelques jours.

Mais ... deux décennies, il est à peu près sûr que toutes les voitures à essence auront disparu.

• **Génétique**

... le début du XXe siècle, on savait qu'il y avait une relation entre les gènes et les caractéristiques physiques d'un individu.

La science a fait beaucoup de progrès dans ce domaine et ... on peut détecter certaines maladies à partir d'une carte génétique.

Toutefois, ... aujourd'hui, on n'est pas encore arrivé à guérir une maladie par l'introduction d'un gène dans l'organisme.

On pense que ce n'est qu(e) ... 2020 qu'on aura la maîtrise des cancers.

- Au bout de...
- À partir de...
- Dans...
- Dès...
- Désormais...
- D'ores et déjà...
- D'ici (à...)
- En...
- Jusqu'à...

7 Le futur antérieur

Mettez les verbes entre parenthèses au temps qui convient (futur antérieur, futur ou présent).

Un spécialiste de l'industrie agroalimentaire parle de l'alimentation du futur.

« Je suis persuadé que dans quelques décennies, les pays du tiers-monde ne (*connaître*) plus la faim.

Peut-être même que la notion de faim (*disparaître*).

D'ici là, trois transformations fondamentales (*se produire*).

Tout d'abord, nous (*consommer*) des aliments issus d'animaux ou de plantes que l'ingénierie génétique (*modifier*). D'ores et déjà, les manipulations génétiques nous (*permettre*) d'améliorer la conservation des aliments. Il est probable que dans quelques années, nous (*disposer*) de produits qui (*garder*) leur fraîcheur très longtemps.

D'autre part, l'homme de l'an 2040 (*acquérir*) de nouvelles habitudes alimentaires. D'ici là, les criquets bouillis assaisonnés à l'huile ou au citron (*remplacer*) peut-être le homard à l'américaine. Notre pain traditionnel (*faire place*) au pain de manioc. On (*apprendre*) à préparer des pâtisseries à base de patates douces.

Enfin, on (*revenir*) à certains produits qui n'étaient plus consommés depuis longtemps. On (*tirer parti*) de racines et de fruits sauvages qui sont aujourd'hui dédaignés. On (*se régaler*) d'insectes comme c'était le cas au Moyen Âge avec les vers à soie. On (*goûter*) les saveurs subtiles de certains animaux comme le cobaye des Andes ou le rat géant… »

Sources : *Courrier international*, 12 janvier 1995.

8 L'expression du but

Le nouveau maire de la ville présente son programme. Rédigez son discours à partir des notes suivantes.

→ Utilisez les expressions entre parenthèses pour exprimer les buts.

→ Variez l'expression de l'intention ou de l'obligation pour exprimer les moyens (*Nous envisageons… Nous avons l'intention de…*).

→ Liez les différents arguments (*D'abord… Cependant…* etc.).

Exemple : Pour que notre cité soit vivante, il faut que sa population soit socialement diverse…

Moyens		*Buts à atteindre*
• Une population socialement diverse (âges, professions, origines sociales, etc.) (*pour que…*)	→	• Une cité vivante
• Construire des immeubles d'habitation (*pour que…*)	→	• Attirer de nouveaux habitants
• Rénover les vieilles maisons (*de façon que…*)	→	• Préserver le charme des vieux quartiers
• Développer les activités économiques (*afin de…*)	→	• Offrir des emplois
• Étendre le réseau de bus (*afin que…*)	→	• Les déplacements en ville doivent se faire plus facilement
• Ouvrir une nouvelle crèche (*faire en sorte que…*)	→	• Accueillir les enfants dont les parents travaillent
• Mener à bien tous ces projets (*notre but…*)	→	• Améliorer le cadre de vie

9 La restriction

Lisez le document ci-contre.

Vous êtes recruteur à « Médecins sans frontières ». Les personnes suivantes souhaitent travailler dans votre organisation. Répondez-leur en indiquant les restrictions imposées au recrutement. Utilisez les expressions entre crochets.

Exemple : a. Désolé, nous *ne* prenons *que* des médecins diplômés.

a. Je fais mes études de médecine.
— *[ne... que]*

b. Je viens d'avoir mon diplôme d'infirmière.
— *[ne... que]*

c. Je n'ai pas de compétence dans le secteur médical.
— *[seulement]*

d. J'ai des compétences en mécanique auto.
— *[sauf si...]*

e. J'ai fait une formation de gestionnaire.
— *[uniquement si...]*

f. Je voudrais un poste d'administrateur en Thaïlande.
— *[à moins que...]*

g. J'ai déjà travaillé six mois pour « Médecins sans frontières » et je voudrais un poste de coordinateur.
— *[à moins que...]*

Conditions à remplir pour devenir volontaire à « Médecins sans frontières ».

Ne devient pas volontaire qui veut. Pas question d'arriver les mains dans les poches. Il faut disposer de compétences véritables.
Médecins sans frontières ne recrute pour son secteur médical que du personnel diplômé. Médecins ou infirmières doivent justifier de deux années d'expérience professionnelle.
Pour le secteur non médical, les volontaires doivent justifier de compétences en mécanique auto, assainissement, construction... s'ils postulent pour un poste de logisticien ou de gestionnaire. Ils doivent parler la langue du pays s'ils briguent un poste d'administrateur.
Les coordinateurs doivent justifier de deux années d'expérience en mission.
Par ailleurs, il est conseillé à tout le monde de maîtriser l'anglais, et mieux encore l'espagnol.

Le Grand Livre de Réponse à tout, Albin Michel/ Alain Ayache 1995.

10 La condition

Ils expriment des conditions.
Rédigez ce qu'ils disent en utilisant les expressions entre parenthèses.

Exemple : « D'accord, je vous achète la voiture mais seulement si... »

a. **L'acheteur de la voiture pose ses conditions au vendeur.**

Alors, vous l'achetez ?
Baisser le prix (si...)
Pouvoir l'essayer (sous réserve que...)
Faire réparer le phare avant droit (à condition que...)

b. **Le conseiller en communication indique à quelles conditions l'homme politique pourra progresser dans l'opinion.**

Comment gagner des voix ?
Être plus décontracté (si...)
Parler plus simplement (à condition de...)
Aller à la rencontre des gens (du moment que...)

ÉCRIT

11 Présentation d'un projet

Énergie

La canne à sucre électrise les Tropiques

À la Réunion, la fibre de canne produit déjà 30 % de l'électricité de l'île. Une utilisation unique au monde.

La Réunion serait-elle devenue un modèle de modernité et d'écologie ? Dans cette île privée de nucléaire, la consommation en électricité croît de 10 % par an. L'autonomie énergétique passe donc par une utilisation optimale des ressources naturelles. Jusqu'à présent, la moitié de l'électricité de l'île était fournie par l'énergie hydraulique des barrages. Quant aux villages les plus reculés, ils bénéficiaient de l'énergie solaire. Désormais, il va falloir compter avec la bagasse, la fibre de canne obtenue après extraction du sucre. Sous l'impulsion de l'Ademe (Agence de l'environnement et de la maîtrise de l'énergie), d'EDF et des autorités de la région, la centrale thermique de Bois-Rouge expérimente ce combustible depuis cinq ans. Le succès est total. Avec environ un quart du pouvoir calorifique du charbon, la bagasse, *via* cette usine, fournit déjà 30 % de l'électricité de l'île. Mixte, la centrale présente l'avantage de pouvoir tourner toute l'année en brûlant alternativement canne à sucre et charbon. Limitée à six mois par an, du 1er juillet au 15 décembre, la bagasse est relayée ensuite par le charbon. À ces atouts s'ajoute celui, non négligeable, de la propreté : quasi-absence de soufre dans ses fumées, faible teneur en cendres et émissions de gaz carbonique compensées par la photosynthèse durant la croissance de la canne. Résultat, cette expérience réunionnaise a toutes les chances de devenir un modèle pour d'autres régions tropicales. Chaque année, 230 millions de tonnes de bagasse restent inutilisées dans le monde, soit l'équivalent de 75 millions de tonnes de charbon ou encore 45 millions de tonnes de fioul. Du coup, les demandes de visites d'ingénieurs et techniciens d'autres pays tropicaux affluent à Bois-Rouge. Deux centrales du même type sont déjà prévues à l'île Maurice. La Guadeloupe, l'Inde, Cuba, le Vietnam, le Pakistan, la Chine et même la Colombie semblent vivement intéressés. Tous veulent se tourner vers les énergies alternatives, utilisant les ressources du pays.

Ça m'intéresse, mai 1995.

a. **Lisez cet article. Au fur et à mesure de votre lecture, vous trouverez ci-dessous pour vous aider une explication des mots difficiles. Notez ces mots avec leur explication.**

Exemple : 1. croît (verbe « croître ») = augmenter.

• Première colonne

1. augmenter – **2.** nécessiter – **3.** la plus grande et la plus efficace possible – **4.** construction qui retient l'eau d'une rivière pour produire de l'électricité – **5.** loin des villes.

• Deuxième colonne

6. grâce à l'initiative de – **7.** usine qui produit de l'électricité à partir d'un produit combustible (qui brûle en dégageant de la chaleur).

• Troisième colonne

8. remplacé – **9.** un avantage – **10.** important – **11.** pourcentage d'un élément dans un produit – **12.** transformation du gaz carbonique en sucre par la plante.

• Quatrième colonne

13. combustible produit à partir du pétrole – **14.** arriver en grand nombre – **15.** se dit d'une source d'énergie non polluante.

b. **Un journaliste interroge un responsable de l'Ademe (Agence de l'environnement et de la maîtrise de l'énergie). Répondez pour lui en cherchant vos informations dans le texte.**

1. Que fait-on dans la centrale thermique de Bois-Rouge ?
2. Vous parlez de « bagasse ». Pouvez-vous expliquer de quoi il s'agit ?
3. Pour quelles raisons votre recherche est-elle nécessaire ?
4. Quelles sont les autres sources d'énergie de l'île ?
5. Quels sont les avantages de votre nouveau combustible ?
6. Vous dites que votre centrale thermique est mixte. Qu'est-ce que cela signifie et pourquoi ?
7. Pensez-vous que votre expérience soit transposable dans d'autres pays ?

c. **Résumez les principales informations apportées par l'article en présentant les caractéristiques et les avantages de la nouvelle source d'énergie.**

« La production d'électricité par combustion de la fibre de canne à sucre pourrait permettre ... »

12 Rédaction d'un projet

Prenez connaissance des causes et des solutions du phénomène présenté sur la photo. À l'aide de ces informations, rédigez un projet d'une quinzaine de lignes pour résoudre le problème de la montée des eaux à Venise.

Causes du phénomène

- **Réchauffement climatique** (montée des eaux de 10 cm).
- **Affaissement du sol** (le pompage de l'eau potable dans le sol a fait s'effondrer les poches d'eau – la ville s'enfonce sous le poids de ses sédiments).
- **Aménagement du port et de la zone industrielle** (disparition des terres lagunaires – creusement de chenaux profonds) → l'eau de la mer entre dans la lagune et y circule plus facilement.
- **Pollution industrielle** → disparition des algues → l'eau de la lagune ressemble à celle de la mer → courants marins.

Solutions

- **Reconstruire les terres lagunaires.**
- **Fermer la lagune aux gros bateaux.**
- **Renforcer les digues entre la lagune et la mer.**
- **Imposer des règles sévères contre la pollution.**
- **Créer des digues mobiles dans chacune des trois bouches de la lagune** (lieux de communication entre la lagune et la mer).

À Venise les inondations (*acqua alta*) dues à la montée des eaux de la mer dans la lagune sont plus fréquentes et plus importantes que dans le passé. C'est, d'une part, parce que la ville s'enfonce et, d'autre part, parce que la lagune n'est plus un milieu écologique aussi protégé.

13 Fantaisie et humour dans le récit

Voici trois extraits du roman de Jean Echenoz *Cherokee*. Ils se situent au début
du roman et présentent le personnage principal : Georges Chave, un détective privé.

a. Fantaisie et suite d'actions.

• Lisez l'extrait ci-contre. Trouvez les mots qui
signifient :

  – convenir ;

  – espèces, catégories ;

  – rouge à lèvres ;

  – qui ne convient pas.

• **Réalisez le script d'une adaptation cinématographique de ce passage en notant la succession
des actions et en imaginant le dialogue.**

Exemple : (…) Véronique regarde la vitrine d'un
bijoutier. Georges Chave s'approche d'elle :

« Pardon mademoiselle, vous avez l'heure ? »

• **Relevez les situations amusantes, fantaisistes
ou inattendues dans un roman policier.**

Exemple : Les héros de roman policier n'ont pas en
général de problème de panne de voiture.

• **Vous devez rédiger la scène de roman suivante
dans le même esprit que le roman de Jean
Echenoz. Imaginez des situations et des
remarques fantaisistes, inattendues, amusantes.**

> Simon Johnson est professeur d'archéologie dans
> une université mais consacre la plus grande partie
> de son temps à rechercher des trésors perdus.
> Un jour, il tombe sur un document qui lui révèle
> l'emplacement d'un trésor.

b. Fantaisie et description.

• **Dans le texte ci-contre, relevez les mots qui
évoquent une idée de mélange.**

• **Notez les caractéristiques originales du logement
de Georges Chave.**

Exemple : Situation : près du Cirque d'Hiver → On
             entend…

Georges Chave possédait une automobile
allemande bleue qui tombait fréquemment en
panne. Quand elle était en panne Georges Chave
allait à pied, comme ce jour-là rue du Temple,
quand il avait rencontré Véronique. Vraiment, cela
s'était passé avec une grande simplicité. Par exemple,
il lui avait demandé l'heure, elle avait répondu que
sa montre avançait, il protesta que n'importe quelle
heure ferait l'affaire. Peu après, il savait qu'elle
s'appelait Véronique. Il l'avait accompagnée un
moment, jusqu'au square du Temple qui est planté
de grands arbres d'essences assez variées. Il l'invita,
voulut lui donner son adresse, se fouilla sans trouver
d'autre papier qu'un ticket de métro neuf, elle qui
n'avait pour écrire que son bâton de rouge – formats
incompatibles. Elle dit qu'elle se rappellerait
l'adresse, demain trois heures. On se quitta, on se
tourna l'un vers l'autre. Elle portait une jupe en
velours lacée sur un côté, une veste en grosse laine
beige, et maintenant c'était demain deux heures et
Georges était assis près de sa fenêtre, déjà.

Jean Echenoz,
Éditions de Minuit, 1983.

Il habitait tout en bas de la rue Oberkampf, dans
un immeuble jouxtant[1] le Cirque d'Hiver[2]. Les
locataires étaient d'une grande diversité de
provenances ; selon leurs longitudes[3] et habitudes
respectives, leurs emplois du temps se chevau-
chaient, s'opposaient ou se confondaient dans un
cycle ininterrompu, comme un décalage horaire
permanent, immobile. Chaque instant était un
contrepoint de paroles et musiques égyptiennes,
coréennes ou portugaises, serbes et sénégalaises qui
se nouaient entre elles, se brisaient les unes contre
les autres comme des grains dans un moulin, et par-

dessus tout cela s'élevaient certains soirs les barrissements[4] recueillis des éléphants du cirque proche, les cris d'amour des lynx, et aux fumets[5] polychromes[6] des cuisines de l'immeuble dont les fenêtres ouvertes laissaient aussi jaillir[7] les conversations vives à la lueur des ampoules nues se superposait l'arôme épicé de la ménagerie[8], comme une olive dans le martini.

1. Qui se trouve juste à côté – 2. Cirque établi en permanence dans un quartier est de Paris – 3. Sur le globe terrestre ligne qui joint les deux pôles (opposé à la latitude) – 4. Cri des éléphants – 5. Bonne odeur de cuisine – 6. Qui a plusieurs couleurs – 7. Sortir avec force – 8. Dans un cirque, lieu où sont rassemblés les animaux.

- **Pour quelles raisons cette description est-elle amusante ?**
- **Continuez la recherche que vous avez commencée en a. à propos de l'aventure de Simon Johnson. Imaginez un logement original et inattendu pour Simon Johnson.**

c. Fantaisie et récit.

- **Au fur et à mesure de votre lecture, complétez le tableau.**

Actions des personnages	Ambiance et circonstances
Véronique traverse la cour… Georges ferme la fenêtre…	… avec prudence (elle surveille ses talons)

- **Trouvez les mots qui signifient :**
  – replacer verticalement ;
  – remettre dans l'état où c'était auparavant ;
  – faire entendre une plainte.
- **Reconstituez le texte de la chanson qui sert de fond sonore à cette scène.**
- **Pourquoi la scène est-elle amusante ?**
- **Continuez la recherche que vous avez commencée en a et b à propos de l'aventure de Simon Johnson. Imaginez des circonstances originales pour rendre amusante la scène de la découverte du trésor (lieu – heure et moment de l'année – ambiance sonore – etc.).**

Georges Chave continue à attendre Véronique en surveillant l'entrée de l'immeuble par sa fenêtre. Finalement, il l'aperçoit…

Elle traversait la cour prudemment, surveillant ses talons sur les pavés, sans voir Georges à sa fenêtre qu'il ferma aussitôt, puis rouvrit, puis il baissa la voix dans la radio qui criait que si je t'aime (clac), quel problème (clac-clac), car tu mens (clac) tout le temps (clac-clac), et mes larmes sont pour toi (boum-boum) du vent, et Georges redressa un coussin, s'aperçut dans le miroir, ferma la porte de la salle de bains, rétablit le volume de la voix qui gémissait maintenant que lourde est la peine sous le figuier bifide[1], longue est l'attente sous le manguier languide[2], et l'ennui cogne[3] sous le palmier-dattier, puis elle frappa, il ouvrit, elle entra, il ouvrit les bras, et longtemps après il l'embrassait encore et parlait doucement dans ses cheveux, pendant que la voix murmurait que rouges sont la lèvre et l'ongle, blanche et bleue l'écume de mer, que tout est clair, que tout est clair.

1. Coupé en deux : le choix de cet adjectif paraît arbitraire et fantaisiste. – 2. Qui exprime un état de fatigue psychologique (même remarque qu'en 1). – 3. Frapper.

UNITÉ 6

VOCABULAIRE

1 Les religions

Classez chaque phrase dans le tableau selon la religion (les religions) qu'elle suggère.

Le bouddhisme (un bouddhiste)	**Le catholicisme** (un catholique)	**L'islam** (un musulman)	**Le judaïsme** (un juif)	**Le protestantisme** (un protestant)

a. Il croit à la réincarnation.
b. Il ne mange de la viande que si l'animal a été tué selon les rites.
c. Il chante des psaumes au temple.
d. Il doit faire un grand pèlerinage dans sa vie.
e. Il confesse ses péchés à un prêtre.
f. Il est chrétien mais rejette l'autorité du pape.
g. Il jeûne chaque année pendant 40 jours entre le lever et le coucher du soleil.
h. Il veut se détacher des choses matérielles.
i. Il ne travaille pas le samedi.
j. Ses prêtres ne peuvent pas se marier.
k. À l'entrée de son lieu de culte, il fait brûler des bâtonnets d'encens.
l. Il croit que Jésus-Christ est à la fois un homme et un dieu.
m. Il se couvre la tête, surtout dans son lieu de culte.
n. Il doit faire sa prière cinq fois par jour le corps tourné vers une ville sainte.
o. Pour lui, un « saint » est seulement un témoin et un exemple.

2 Religions et symboles

a. Dans le texte du haut de la page 55, recherchez ce que symbolise chaque partie de la cathédrale.

Exemple : la flèche : élevée → élévation vers Dieu.

Selon vos connaissances, complétez le texte en recherchant des détails ou objets symboliques dans une cathédrale.

b. En utilisant le vocabulaire ci-contre, indiquez ce que symbolisent les objets ou les rites suivants :

• un cierge – une kippa (petite coiffure ronde portée par les juifs) – un minaret – un autel – une croix.

• faire des offrandes – se prosterner – encenser – se laver les mains – s'agenouiller – baptiser – faire le signe de croix – communier.

- symboliser – représenter – signifier – exprimer – révéler.
- la croix (la colombe, etc.) est le symbole de…, la représentation de…, l'image de…
- C'est lié à… en relation avec…

LE SYMBOLISME DES CATHÉDRALES

Que les cathédrales soient grandes, on le comprend ; elles devaient pouvoir contenir tous les fidèles d'un diocèse. Mais pourquoi les élever jusqu'à 35 ou 40 mètres ? La hauteur intérieure et les flèches à l'extérieur signifient que, construit sur Terre, l'édifice s'élance vers le Ciel.
Autre symbolisme, celui de la lumière. Elle est toujours accentuée dans le sanctuaire, à cause d'une tradition qui vient de l'Antiquité : Dieu est lumière. L'autel doit donc être orienté vers le soleil levant. Puis, à partir du XIVe siècle, lorsque les bâtisseurs multiplient les fenêtres décorées, les vitraux les plus brillamment colorés se retrouvent à leur tour dans les sanctuaires et les chapelles. Car la couleur, si elle assombrit la lumière, la transfigure en même temps, lui donne une qualité qui est celle des pierres précieuses.

Sciences et Avenir, mars 1995.

Le culte religieux et profane de la nature

Toutes les grandes religions font un usage liturgique des éléments de la nature [...].
Le christianisme a l'eau du baptême et l'hindouisme Varuna, le dieu des eaux. Mais il y a surtout l'eau de la grotte pour les pèlerins de Lourdes et l'eau du fleuve pour ceux de Bénarès. Le christianisme a le feu du cierge pascal et les pittoresques processions aux flambeaux. L'hindouisme a le dieu du feu, Agni, et les spectaculaires marches sur les braises. Mais que les religions viennent à faiblir et les sociétés dites scientifiques savent transformer le feu sacré en spectacles pyrotechniques, gratifiant chaque fête joyeuse d'un embrasement du ciel.

Odon Vallet, *Les Religions dans le monde*, Flammarion, 1996.

c. Dans ces sculptures du portail, recherchez les éléments symboliques.

d. Lisez le texte de O. Vallet ci-dessus. Il montre que les religions et les sociétés profanes ou laïques célèbrent les mêmes éléments de la nature. Continuez à illustrer cette idée à partir des éléments suivants.

le feu – l'eau – la terre – l'arbre – le soleil

Élément célébré	Célébrations religieuses	Célébrations profanes
le feu	le cierge de Pâques (christianisme) – les processions aux flambeaux – l'incinération des morts (hindouisme) – la marche sur les braises.	les feux d'artifice – les soirées au coin du feu – le barbecue du dimanche – la bougie d'anniversaire.

3 Dissimulation et tromperie

a. Lisez les quatre anecdotes ci-dessous. Relevez et classez les mots relatifs aux idées de :

1. Dissimulation...
2. Déguisement...
3. Tromperie...

L'énigme du masque de fer.
Certains historiens affirment que le roi Louis XIV avait un frère jumeau dont l'existence fut tenue secrète par la famille royale. Pour que personne ne puisse le reconnaître, on le cacha dans le château de l'îlot d'If près de Marseille et on dissimula son visage sous un masque de fer.

Mystification à la télévision.
En 1995, le cadavre d'un extraterrestre a été présenté à la télévision. Il s'agissait en fait d'une supercherie. L'authenticité du film n'a pas pu être démontrée et les téléspectateurs ont sans doute été abusés par un habile trucage...

Une ruse découverte.
En 1791, au plus fort de la Révolution, le roi Louis XVI essaya de s'enfuir à l'étranger en se faisant passer pour un valet accompagnant ses maîtres en voyage. Mais il ne réussit pas à tromper la vigilance d'un partisan de la Révolution.

Le carnaval au XVIIIe siècle.
À toutes les époques, mais plus particulièrement au XVIIIe siècle, le carnaval était l'occasion de transgresser tous les tabous moraux. Mais pour cela, chacun dissimulait son identité ou se déguisait. Certains hommes se travestissaient en femme et vice versa.

b. Remplacez certains des mots que vous avez relevés par les verbes suivants (ou les noms qui en sont dérivés).

- duper
- escroquer
- faire semblant de...
- feindre
- se faire avoir (*fam.*)
- induire en erreur
- masquer
- occulter
- tricher

4 L'expression de la peur

Quelle est la phrase qui serait la plus appropriée à chacune des circonstances suivantes ?

Exemple : a → 6.

a. À l'oral de l'examen, vous êtes tombé(e) sur un sujet que vous n'aviez jamais étudié.
b. À l'écrit de l'examen, vous vous apercevez qu'il ne vous reste que 10 minutes pour faire la deuxième moitié de votre devoir.
c. Hier, votre fille (ou votre petite sœur) n'était pas encore rentrée de l'école à 10 heures du soir.
d. Hier, le médecin devait vous faire une piqûre douloureuse.
e. Pendant la séance de cinéma, quelqu'un a crié « Au feu ! ».
f. Vous êtes allé(e) voir un film sur les atrocités de la guerre.
g. Seul(e) dans le couloir désert du métro, vous êtes agressé(e) par une bande de voyous qui vous demandent votre portefeuille.
h. Dans la station balnéaire où vous avez passé quelques jours de vacances, les prix étaient très élevés.

1. J'appréhendais un peu.
2. J'étais inquiet (inquiète).
3. Je me suis affolé(e).
4. J'ai été terrorisé(e).
5. J'ai été pris(e) de panique.
6. J'ai totalement paniqué.
7. J'ai été épouvanté(e).
8. J'ai été effaré(e).

GRAMMAIRE

5 Formulation des hypothèses par le conditionnel

Voici trois hypothèses qui ont été formulées sur l'origine du système solaire. Finissez de les rédiger en mettant les verbes entre parenthèses au conditionnel présent ou passé.

Trois hypothèses sur l'origine du système solaire.

1. Il y a des millions d'années, le Soleil (*entrer en collision*) avec une autre étoile. C'est cette collision qui (*donner naissance*) aux planètes... Selon James Jeans, ces planètes (*provenir*) d'un morceau de Soleil qui (*se détacher*). Selon Michael Woolfson, c'est l'étoile qui (*être à l'origine*) des planètes.
2. (*Il y a*) primitivement deux Soleils. L'un d'eux (*se désintégrer*) et (*provoquer*) la naissance des planètes.
3. Primitivement, trois « pré-étoiles » (*exister*) : le Soleil, Jupiter et Saturne. L'explosion thermique de Jupiter et de Saturne (*ne pas avoir lieu*) car leur masse (*être*) insuffisante.

6 Les phrases : hypothèse → conséquence

Ils font des suppositions et imaginent les conséquences de ces suppositions. Rédigez ce qu'ils disent en utilisant les expressions entre parenthèses.

a. Hypothèses sur le futur.

Avec des « si », on peut transformer la petite maison en belle résidence.

Nous faisons construire des étages supplémentaires. (Supposons que...)
L'intérieur est aménagé par un grand décorateur. (Imaginons que...)
J'achète de superbes meubles. (Admettons que...)
Les immeubles qui sont autour disparaissent ; nous achetons les terrains et nous plantons un magnifique parc. (Si...)
Et ça devient tout à fait vivable !

b. Hypothèses sur le passé.

Ils ont perdu le match. Ils font des hypothèses sur les causes de la défaite.

Vers la fin, tu ne m'as pas passé le ballon ! On gagnait. (Supposons que...)

Tu n'as pas contrôlé le défenseur adverse. Je pouvais marquer un but. (Si...)

Tu es trop souvent monté en première ligne. Nos buts n'étaient pas assez défendus. (Si...)

Nous n'avons pas été assez rapides au début du match. Nous pouvions surprendre l'adversaire. (Imaginons que...)

Il refait le monde.

J'ai rencontré Annette et je l'ai épousée.
Nous avons eu dix enfants.
Pour nous acheter un appartement, nous avons emprunté de l'argent à 20 %.
Mon beau-frère ne m'a jamais rendu l'argent que je lui ai prêté.
Mon entreprise a fait faillite.

Ma femme est partie avec un milliardaire et nos dix enfants. Sans cela, j'étais le plus heureux des hommes. (Si... Supposons que... Imaginons que... etc.).

7 Hypothèses, éventualités, suppositions

Observez la photo et lisez sa légende.
Des scientifiques font des hypothèses à propos de ces phénomènes mystérieux. Réécrivez leur conversation en formulant les hypothèses avec les mots ou les temps verbaux indiqués entre parenthèses.

Exemple : 1. Supposons que ces traces soient dues à des tornades...

- C'est peut-être dû à des tornades ou à des tourbillons de vent. (*Supposons que...*)

– Non. Ce ne sont pas des tornades. Les traces sont souvent apparues par beau temps. (*Si...*)

- C'est peut-être un OVNI. (*Et si...*)

– Non. Ce n'est pas un OVNI. On n'en a pas signalé. Personne n'en a vu. (*Admettons que...*)

- C'est peut-être tout simplement un fou ou quelqu'un qui a voulu faire une farce aux journalistes. (*hypothèse par le futur ou le futur antérieur*)

– Un homme ne peut pas avoir fait ça sans laisser des traces de pas. (*Comme si...*)

- Les traces de pas ont peut-être disparu. Ou bien parce qu'il les a effacées. Ou bien c'est le vent qui les a fait disparaître. (*... soit que... soit que...*)
- C'est donc un hélicoptère ou un avion. (*conditionnel*)

– Non, les traces sont trop géométriques. (*conditionnel*)

À la fin des années 80, de mystérieuses traces géométriques sont apparues dans les champs de céréales du sud de la Grande-Bretagne.
Comme de telles figures avaient été signalées dans le passé, certains scientifiques ont étudié le phénomène.

8 Expression de l'origine

À partir des notes suivantes, rédigez un texte présentant l'origine des superstitions. Utilisez les expressions données entre parenthèses.

Exemple : 1. L'interdiction de poser le pain à l'envers vient du fait que, dans le passé, les boulangers faisaient une croix sur le dessus du pain.

Les superstitions et leur origine.

1. Interdiction de poser le pain à l'envers ← Dans le passé, les boulangers faisaient une croix sur le dessus du pain. (*Venir de...*)
2. Il ne faut pas passer sous une échelle ← La personne qui est sur l'échelle risque de laisser tomber quelque chose. (*La raison... c'est que...*)
3. Les vendredis 13 portent malheur ← Le Christ est mort un vendredi. Le chiffre 13 n'est pas un bon chiffre. (*Étant donné que... et que...*)
4. Il ne faut pas être treize à table ← Lors du dernier repas du Christ, il y avait treize personnes à table. L'une d'elles (Judas) a trahi. (*Comme...*)
5. Il ne faut pas tendre sa main gauche à quelqu'un pour le saluer ← C'est la main droite qui tient le poignard. (*Car...*)
6. On croit que les trèfles à quatre feuilles portent bonheur ← Rareté des trèfles à quatre feuilles. (*À l'origine de...*)

9 Enchaînement causes/conséquences

a. Lisez cette publicité. Les arguments sont présentés comme un enchaînement de conséquences. Présentez ces arguments du point de vue de leurs causes. Exprimez les raisons des avantages de la Cinquecento en utilisant successivement :

- puisque
- étant donné que
- comme
- car
- vu que
- grâce à
- du moment que
- c'est pour ces raisons que

Exemple :
Puisque la Cinquecento est aussi à l'aise sur la route qu'en ville…

COMMENT DEVENIR PRÉSENTATEUR VEDETTE GRÂCE À LA CINQUECENTO.
La Cinquecento est aussi à l'aise sur la route qu'en ville.
Donc vous êtes très vite à la campagne.
Donc plus tôt le matin à la pêche.
Donc ça mord.
Donc vous mangez du poisson frais.
Donc phosphore.
Donc vous êtes plus intelligent.
Donc vous pouvez être présentateur vedette.
Fiat Cinquecento. La voiture qu'il vous faut. Donc.
Cinquecento prix net à partir de 43 800 F.*
hors aide gouvernementale de 5 000 F.

NOUVELLE CINQUECENTO SPORTING FIAT

b. Imaginez une suite à l'enchaînement des arguments.

Vous devenez présentateur vedette
→ vous êtes riche
→ toutes les célébrités sont à vos pieds
→ etc.

Utilisez : *être à l'origine de… du fait de… en raison de…* etc.

10 Expression de la cause

Complétez avec les mots ou expressions de la liste que vous n'utiliserez qu'une fois.

Le tribunal juge un milliardaire qui cambriolait des bijouteries. Le président du tribunal interroge un témoin.

– Vous connaissez l'accusé ?
– Oui, je le connais … nous avons grandi dans le même quartier. Par ailleurs, … nous sommes restés amis, je peux dire que je le connais très bien.
– Vous comprenez pourquoi il commettait ces cambriolages ?
– À mon avis, tout … par le fait qu'il n'aimait pas sa condition. Vous savez, il était d'une famille pauvre. C'est … son mariage qu'il est devenu riche. Si vous voulez mon avis, … tout ça, il y a la haine des riches.
– Il ne devait pas tant les détester que ça … il accumulait les objets précieux et … avait épousé une milliardaire !
– Il a épousé Hélène … il était tombé amoureux d'elle. Et ce coup de foudre … à un malentendu. Dans sa jeunesse, Hélène affichait des opinions révolutionnaires et il l'avait rencontrée dans une réunion politique.

- à l'origine de …
- comme …
- être dû à …
- grâce à …
- parce que …
- puisque …
- s'expliquer par …
- car

ÉCRIT

11 Demander/donner des informations par lettre

a. Lisez ces fragments de lettre et complétez le tableau.

Qui écrit ?	À qui est destinée la lettre ?	Type d'informations demandées ou données

A

Mademoiselle,
En réponse à votre lettre du 28 mai dernier, je vous donne bien volontiers les raisons pour lesquelles notre fondation n'a pas pu satisfaire votre demande de bourse.
D'une part, le jury a estimé que les travaux que vous comptiez mener ne correspondent pas aux orientations actuelles de notre fondation...

B

Monsieur,
Je fais actuellement des recherches de généalogie sur ma famille et c'est dans le cadre de cette recherche que j'ai découvert votre nom par le Minitel.
Je vous serais très reconnaissant si vous acceptiez de me fournir quelques renseignements sur vous-même ainsi que sur vos ascendants de la branche GIBBE. Je souhaiterais avoir des précisions sur...

C

Chère Sandrine,

Merci de bien vouloir me remplacer cette semaine. Tu trouveras ci-dessous toutes les instructions utiles dont tu pourrais avoir besoin ainsi que les renseignements que tu m'as demandés.

D

Madame,
Je viens de recevoir mon avis de loyer pour le mois prochain et je m'étonne que la somme à payer soit nettement supérieure à celle que j'ai versée le mois dernier (environ 3 650 F).
Je vous prie de bien vouloir me donner quelques éclaircissements sur cette augmentation.

b. Voici des situations de demande d'informations. Pour chaque situation, trouvez :

- **la phrase par laquelle vous formuleriez votre demande ;**
- **les types d'informations que vous pourriez demander.**

Exemple : Situation **1.** → Je souhaiterais avoir quelques renseignements sur le poste ainsi que des précisions sur les compétences qu'il faut avoir.
→ précision sur les diplômes requis, les compétences demandées, renseignements sur les horaires, les congés, le salaire, informations sur les collègues, etc.

1. Vous avez appris qu'un poste allait être vacant dans une administration ou dans une entreprise. Vous écrivez à la personne qui occupe actuellement le poste pour lui demander des renseignements.
2. Le poste de comptable est vacant dans l'entreprise que vous dirigez. Un candidat s'est présenté qui vient d'une entreprise dont vous connaissez le directeur. Vous demandez à ce directeur des renseignements sur le candidat.
3. Vous avez l'intention d'aller passer une semaine à Prague avec des amis. On vous a parlé de l'hôtel « Pariz » en vous disant qu'il était bien mais vous manquez d'informations sur cet hôtel.
4. Vous devez écrire un article sur l'enseignement du français dans les écoles de votre pays. Vous manquez d'informations. Vous écrivez au ministère de l'Éducation.
5. Vous avez l'intention de voyager en Chine à moto. On vous indique le nom d'une personne qui a déjà fait cela. Vous lui demandez des renseignements.
6. Vous habitez dans un immeuble. Depuis deux semaines, vers 3 heures du matin, vous êtes réveillé(e) par des bruits (rires bizarres, coups répétés, musique étrange) venant de l'appartement situé en dessous du vôtre. Cet appartement semble pourtant inoccupé. Vous écrivez une lettre au syndic responsable de l'immeuble.
7. Des amis sont partis en vacances en vous laissant la clé de leur maison et en vous demandant de vous en occuper. Au bout de quelques jours, vous leur écrivez pour leur demander...

**c. Rédigez la lettre correspondant à la situation 6 ci-dessus.
Construisez-la selon le plan suivant :**

- Présentation de soi et description des faits observés.
- Sentiments et conséquences sur votre vie privée.
- Essai d'explications.
- Demande d'informations et de solutions.
- Remerciements et formule finale.

Vocabulaire utile pour les lettres de demande d'informations

(Ce tableau complète les informations données p. 74 du livre de l'élève).

- **Je souhaiterais... J'aimerais...**
  savoir (quelque chose), savoir si...
  connaître (quelque chose)... me renseigner sur...
  être informé de... avoir connaissance de...
  me documenter sur... être mis au courant de...
  vous poser quelques questions sur... vous interroger sur...
- Auriez-vous... Posséderiez-vous...
- Je souhaiterais (j'aimerais) recevoir... obtenir... avoir... posséder...
- Je sollicite... Je demande... Je réclame... J'ai droit à...
- Pourriez-vous (vous serait-il possible de...) me donner... m' envoyer... me faire parvenir... me fournir...

} un renseignement – une information – une indication – un éclaircissement – des précisions – des explications – des données – des éléments – une documentation – un avis – une opinion – des instructions – un complément (d'informations, etc.) sur...

- **Pourriez-vous me... Je souhaiterais que vous me... Vous serait-il possible de me...**
faire savoir (quelque chose), savoir si...
faire connaître... renseigner sur... informer que...mettre au courant de... apprendre... documenter sur... préciser.

12 Résumer les informations contenues dans un texte

a. Lisez le texte suivant.

À L'ÉCOLE LAÏQUE DES RELIGIONS

Alors que la rentrée se prépare, une école très particulière met la dernière main aux préparatifs. Depuis 1991, l'École laïque[1] des religions (ELR) dispense des cours aux adultes désireux d'en savoir plus sur les cinq grandes religions qui constituent désormais la mosaïque française (christianisme, islam, judaïsme, bouddhisme, hindouisme). Pari audacieux ! Il ne s'agit pas en effet d'une initiation à une spiritualité polymorphe[2] – surtout pas – ni d'un syncrétisme[3] mystique, très à la mode, ni encore d'une entreprise religieuse. L'intention est uniquement culturelle : depuis le temps que l'on réclame de l'Éducation nationale qu'elle dispense des cours d'éducation religieuse « laïque » [...].

Chaque religion doit être exposée aux élèves par un responsable autorisé. Les cours (une quarantaine au total) sont donc dispensés durant un semestre soit par un prêtre catholique pour ce qui concerne l'Église de Rome, soit par un pasteur protestant pour ce qui est de la Réforme, soit par un rabbin, un imam, etc. Cela afin d'éviter toute contestation et de bien souligner que l'ELR poursuit un but purement pédagogique [...].

Le succès de la formule est tel que le champ d'enseignement s'est élargi aux demandeurs institutionnels. « *Désormais,* explique Régine Haxaire, *nous intervenons également dans le cadre d'associations, d'entreprises ou d'établissements scolaires.* »

Des exemples concrets ? Régine Haxaire cite l'école de soins infirmiers de l'hôpital Paul -Brousse à Villejuif, qui a demandé à l'École laïque des religions de former ses stagiaires aux bases essentielles (naissance, maternité, maladie, souffrance, mort) du judaïsme, de l'islam et du christianisme [...].

« *On pourrait tout autant évoquer les formations religieuses demandées par l'école de la Police nationale ou par les pompes funèbres de la Ville de Paris* » [ou bien...] une société de gestion de HLM venue chercher auprès de l'École laïque une réponse aux problèmes de cohabitation communautaire dans les grands ensembles urbains. Prochain client institutionnel ? Peut-être les prisons.

Christian Makarian
Le Point, 31 août 1996.

1. École laïque : qui reste indépendante de toute confession religieuse, qui ne donne pas une vision religieuse des choses – **2.** Polymorphe : qui se présente sous des formes différentes – **3.** Syncrétisme : mélange de doctrines et de systèmes – appréhension globale des choses complexes.

b. Vous participez à la rédaction du répertoire des écoles françaises et vous devez rédiger la fiche de présentation de l'ELR. Complétez cette fiche avec précision.

- Nom de l'établissement ....
- Date de création ....
- Vocation et buts de l'établissement ....
- Types de publics susceptibles d'être concernés ....
- Précisions sur les cours ....
- Personne(s) à contacter ....

c. Un journaliste interroge la directrice de l'ELR. Imaginez ses réponses à partir des informations que vous pouvez trouver dans l'article.

1. Quelles sont les différences entre votre école et une école religieuse ?
2. Pour quelles raisons avez-vous créé cette école ?
3. La formation que vous donnez est-elle indispensable ? Pourquoi ? Dans quels cas ?

13 Le récit fantastique

a. Lisez le témoignage ci-contre et notez les circonstances de l'hallucination :

- personne victime de l'hallucination (indication sur sa psychologie) ;
- lieu ;
- succession des images vues au cours de l'hallucination.

b. Faites la liste des réactions physiques et psychologiques du personnage.

Exemple : Au moment de l'hallucination

Réactions physiques	Réactions psychologiques
Il essaie de saisir la fleur	Il est éperdu. Il se met en colère contre lui-même.

c. Le narrateur raconte son hallucination aux personnes suivantes. Imaginez en une phrase ce que ces personnes peuvent penser ou dire.

1. un ami fidèle du narrateur
2. son médecin de famille
3. sa petite fille de 3 ans
4. un psychiatre ou un psychanalyste
5. un exorciste

Exemple : 1. Il a encore trop travaillé. Il est vraiment fatigué. Il faut qu'il se repose...

d. Vous avez eu l'hallucination représentée dans le tableau ci-contre. Décrivez-la en précisant :

- les circonstances de l'incident,
- les faits observés,
- les sentiments que vous avez éprouvés,
- l'interprétation que vous en faites.

Un homme note jour après jour dans son journal son lent voyage vers la folie.

6 août. – Cette fois, je ne suis pas fou. J'ai vu... j'ai vu... j'ai vu !... Je ne puis plus douter... j'ai vu !... J'ai encore froid jusque dans les ongles... j'ai encore peur jusque dans les moelles... j'ai vu !...

Je me promenais à deux heures, en plein soleil, dans mon parterre de rosiers... dans l'allée des rosiers d'automne qui commencent à fleurir.

Comme je m'arrêtais à regarder un *géant des batailles* qui portait trois fleurs magnifiques, je vis, je vis distinctement, tout près de moi, la tige d'une de ces roses se plier, comme si une main invisible l'eût tordue, puis se casser, comme si cette main l'eût cueillie ! Puis la fleur s'éleva, suivant la courbe qu'aurait décrite un bras en la portant vers une bouche, et elle resta suspendue dans l'air transparent, toute seule, immobile, effrayante tache rouge à trois pas de mes yeux.

Éperdu, je me jetai sur elle pour la saisir ! Je ne trouvai rien ; elle avait disparu. Alors, je fus pris d'une colère furieuse contre moi-même ; car il n'est pas permis à un homme raisonnable et sérieux d'avoir de pareilles hallucinations.

Mais était-ce bien une hallucination ? Je me retournai pour chercher la tige, et je la retrouvai immédiatement sur l'arbuste, fraîchement brisée, entre les deux autres roses demeurées à la branche.

Alors, je rentrai chez moi l'âme bouleversée ; car je suis certain, maintenant, certain comme de l'alternance des jours et des nuits, qu'il existe près de moi un être invisible, qui se nourrit de lait et d'eau, qui peut toucher aux choses, les prendre et les changer de place, doué par conséquent d'une nature matérielle, bien qu'imperceptible pour nos sens, et qui habite comme moi, sous mon toit...

Guy de Maupassant, *Le Horla*, 1887.

14 Le récit anecdotique

a. **Lisez l'histoire suivante. Trouvez le sens des mots donnés en marge.**

• **les mots en italique :** ils définissent le sens de certains mots du texte.

Exemple : qui inspire la pitié → pitoyable.

• **les autres mots :** ce sont des mots du texte dont on peut déduire le sens d'après le contexte.

Exemple : masure → vieille maison.

b. **Relevez tous les mots utilisés pour nommer :**

– le vieux Breton ;

– le chien.

c. **Résumez cette histoire en quelques lignes pour en faire un canevas d'histoire drôle (voir livre de l'élève, p. 26).**

LE PLAT DU CHIEN

Une petite route touristique, en Bretagne. Un virage si aigu que l'on est vraiment obligé de ralentir, découvrant de plus un si joli panorama qu'on n'a plus tellement envie d'aller vite. L'endroit est remarquablement choisi. Au bord de la route, il y a une masure bretonne telle qu'elle doit être, pitoyable et pittoresque. Et assis sur le seuil, qui fume sa pipe au soleil, il y a un vieux Breton, ridé, barbu, comme sur les images. Enfin, devant l'ancêtre, il y a la niche et le chien.

Un vilain animal. Un corniaud.

– Nom d'un petit bonhomme ! lâche le touriste, en écrasant le frein. Vise un peu, chérie, dans quoi bouffe ce cabot !

Ce disant, il amorce une discrète marche arrière.

La pâtée du chien se trouve dans un plat énorme, en porcelaine de Chelsea, une fortune aux yeux de l'amateur. Notre touriste s'approche du vieux Breton, le chapeau à la main :

– Le magnifique chien que vous avez là !

– Vous rigolez ? Mon chien ! C'est un vilain corniaud, d'abord il est malade. Puis c'est un sac à puces, et n'approchez pas : il est méchant.

– Tant pis ! Moi, je vous l'achète.

– Mais je ne veux pas le vendre ! J'y tiens ! Il n'en a plus pour longtemps, mais c'est ici qu'il mourra !

– Essayez de comprendre... Nous avions le même. Il est mort le mois dernier. Depuis, les enfants pleurent, et moi, je cherche en vain...

– Je ne veux pas le vendre.

– Je vous en donne deux cent cinquante francs ![1]

– Pas question !

– Cinq cents...

Lignes 1 à 9

■ *qui inspire la pitié – petite construction qui sert d'abri pour les chiens*

■ une masure – un corniaud

Lignes 10 à 19

■ *ce n'est pas possible !* (expression de surprise) – *commencer – reculer – type de céramique très fine – rire – petit insecte qui vit dans les poils des chiens*

■ viser – bouffer – un cabot – une pâtée

Lignes 20 à 29

■ *sans succès*

– Mais…

– Mille !

– Comment ? Vous me donneriez mille francs de cette charogne ? Mais vous êtes fou ! Enfin, tous les goûts sont dans la nature… Ça vous regarde… Dites, cette somme, vous l'avez, là, en billets, que je peux toucher ? Je n'ai jamais vu tant d'argent…

Le touriste sort mille francs en billets, les donne au vieux, détache le chien, l'emmène dans la voiture, continuant sa pénible comédie :

– Mes enfants, voilà votre cher petit chien, il n'était pas mort, je vous l'avais bien dit…

Les gosses abasourdis s'écartent du repoussant animal. Revenu à son volant, le touriste paraît se raviser, parfois même, il démarre, passe en première… Mais il revient pour dire au paysan :

– J'y pense… en route, il pourrait avoir faim, alors, si ça ne vous fait rien, je vais prendre la pâtée.

Ce disant, il tend les mains vers le plat de porcelaine précieuse, mais le vieux arrête son élan :

– Bien sûr, monsieur, la pâtée, je vais la verser dans une boîte de conserves. Ce plat, je le garde. Veuillez le remettre en place, immédiatement. C'est le troisième chien que je vends cette semaine.

Précision ajoutée le regard droit dans les yeux du touriste. Que peut-il répondre, lui, empêtré dans sa comédie familiale ! […].

Dans un rayon de quelques kilomètres, après le joli virage, on trouve pas mal de chiens errants.

Jean-Pierre Chabrol, *Contes d'outre-temps*, Plon, 1969.

Lignes 30 à 44

- *cadavre en décomposition – qui est étonné et ne comprend pas – changer d'idée*
- détacher – un gosse – repoussant

Lignes 45 à 57

- *mouvement vers quelque chose – qui ne trouve pas de solution à la situation ; paralysé*
- dans un rayon de… – un chien errant

1. 100 F en 1969 correspondent environ à 500 F de 1997.

UNITÉ 7

VOCABULAIRE

1 Les noms composés

a. Définissez les noms suivants comme dans les exemples :

une pince à sucre → qui sert à prendre le sucre
un pull en laine → qui est fait avec de la laine

une corbeille de fruits	un verre à porto
une cuillère à café	un écran de télévision
une lampe de chevet	un poulet de Bresse
des chaussettes de coton	une boîte à lettres
un mouchoir en papier	un pantalon à pinces

b. Complétez avec une préposition.

une lampe ... poche	des verres ... contact
un briquet ... gaz	une fourchette ... argent
un vin ... Bordeaux	un fer ... repasser
une télévision ... couleur	des chaussures ... lacets
une carafe ... eau	un tube ... colle

c. Dans quelle pièce de la maison peut-on trouver les objets suivants ? Définissez-les.

un porte-savon	un tire-bouchon
un couvre-lit	un canapé-lit
une table basse	un porte-parapluies
un presse-purée	un coupe-papier
une garde-robe	un porte-plume

d. Dans quel cas avez-vous besoin :

– d'un taille-crayon
– d'un garde-meuble
– d'une longue-vue
– de vos essuie-glace
– d'un serre-tête

Les noms composés

a. Composition avec préposition (construction nom + préposition + nom (ou verbe à l'infinitif).

- ***à*** peut indiquer un but, une fonction, une caractéristique :
  un plat à tarte – une chemise à fleurs
- ***de*** peut indiquer une appartenance, une partie, un contenu, une matière, une caractéristique, un lieu :
  un plat de poisson – des lunettes de soleil
- ***en*** indique une matière :
  une veste en cuir

b. Composition sans préposition.

- **verbe + nom** → un porte-clés
- **nom + nom** → un timbre-poste
- **nom + adjectif** → un coffre-fort
- **verbe + verbe** → un va-et-vient

Des objets très français
Il existe des objets français très connus dans le monde : le flacon de parfum *N°5 de Chanel*, les bouteilles d'eau minérale *Perrier*, le stylo à bille *Bic*. Mais il en existe d'autres tout autant typiques et beaucoup moins exportés. C'est le cas du *gant de toilette*, du *papier à grands carreaux* pour les élèves et de *l'ampoule électrique à baïonnette*.

2 Les couleurs

À quoi vous font penser ces associations de mots et de couleurs ? Reliez les mots des deux listes.

Exemple : le feu rouge → stop !

Quand ils sont rouges...

1. le feu
2. le drapeau
3. la liste
4. la rose
5. la banlieue

- Amour
- Communiste
- Pas dans l'annuaire
- Stop !
- Révolution

Quand ils sont jaunes...

16. la fièvre
17. le maillot
18. le métal
19. le carton
20. les pages

- Pénalité !
- Or
- Renseignements
- Vaccination obligatoire
- Victoire

Quand ils sont verts...

6. la carte
7. le billet
8. le feu
9. le numéro
10. l'habit

- Académie française
- Assurance automobile
- Appel gratuit
- Dollar
- Passez !

Quand ils sont d'une autre couleur...

21. le cordon bleu
22. le bifteck bleu
23. la carte grise
24. la caisse noire

- Hors comptabilité officielle
- Papier de voiture
- Saignant
- Bon cuisinier

Quand ils sont blancs...

11. le drapeau
12. la nuit
13. la sauce
14. le vote
15. la carte

- Béchamel
- Ni pour l'un, ni pour l'autre
- Paix
- Sans dormir
- Liberté

3 Les formes (emplois figurés)

Remarquez la forme géométrique qui est à l'origine de chaque expression en italique. Reformulez différemment chaque expression.

Exemple : un homme très pointu dans sa spécialité → très spécialisé, dont la spécialisation est très poussée.

Réunion des copropriétaires d'un immeuble à propos de l'ascenseur qui tombe souvent en panne.

Le premier à prendre la parole fut l'ingénieur du quatrième étage, un homme très *pointu* dans sa spécialité et qui, par *une explication très carrée*, démontra la nécessité de changer l'ascenseur, ce qui entraînait des dépenses importantes. Une dame qui vit au premier étage lui répliqua, *le sourire en coin*, qu'elle n'évoluait pas dans *les sphères de la haute finance* et qu'elle voyait les choses *sous un angle différent* : on pourrait se passer d'ascenseur. Pour *arrondir les angles*, le président de la réunion promit que les dépenses seraient établies sur plusieurs années. Mais très vite, on s'aperçut que la discussion *tournait en rond*. Ceux qui habitaient les étages supérieurs étaient pour le changement d'ascenseur. Ceux qui habitaient les étages du bas avaient décidé de *faire une croix dessus*. On était dans *un cercle vicieux*. Et à une heure du matin, *le dernier carré* des copropriétaires qui s'étaient laissé entraîner dans *la spirale des injures* s'accusait encore d'avoir *l'esprit tordu* et de faire des *discours creux*.

4 Les spectacles

a. Complétez l'introduction du guide des festivals de l'été (voir ci-contre) avec les mots suivants.

chanteur de blues – comédiens – concerts – diva – drame – expositions – fête – festivals – scènes – théâtre

b. Continuez la liste du début de l'article en reliant les mots des deux colonnes.

Exemple : 1. Les éclats de rire d'une comédie de Feydeau.

1. les éclats de rire
2. l'ensemble parfait
3. les images historiques
4. la mise en scène à grand spectacle
5. les mouvements harmonieux
6. la palette éclatante
7. le rythme entraînant
8. le solo

- une chorale
- une comédie de Feydeau
- une danseuse classique
- une exposition de Van Gogh
- une harpe
- un orchestre de rock
- un opéra de Verdi
- un son et lumière

c. Que peut-on faire ? Reliez chaque verbe à son complément (ses compléments).

Exemple : chanter un air, un rôle (s'il s'agit d'un rôle dans un opéra ou une comédie musicale).

1. chanter
2. composer
3. déclamer
4. donner
5. faire
6. interpréter
7. monter

- une pièce de théâtre
- un tour de chant
- un air
- une tirade
- un récital
- un rôle
- une symphonie

d. Dans quelle situation peut-on prononcer les phrases suivantes ?

1. « Il m'a fait une scène. »
2. « Il m'a fait toute une comédie. »
3. « Il m'a fait son cirque (ou son numéro). »
4. « On ne va pas en faire un drame. »
5. « Il connaît la musique. »

a. Comme chaque fois que je lui propose d'aller faire du ski, il a refusé en me racontant l'accident qu'il a eu il y a 3 ans.

b. Mon fils voulait absolument aller manger chez MacDo.

c. Il m'a vue embrasser un homme qu'il ne connaissait pas.

d. Il sait parfaitement comment se débrouiller dans ce genre d'affaire.

e. La situation n'est pas si grave.

FESTIVALS DE L'ÉTÉ

Le guide de l'Obs pour des vacances pas comme les autres.

Dans la tiédeur des nuits, le souffle généreux d'une ____ dans un ____ antique...

Le timbre rocailleux d'un vieux ____ dans une pinède...

Des ____ rejouant, à la face du ciel, le ____ éternel des passions... Dans tout l'Hexagone, les ____ de l'été sont riches d'émotions, de découvertes, d'humour, de sensations irremplaçables.

____, ____, ____ se sont mis au vert pour vous recevoir.

Mais au-delà des grands rendez-vous de l'été, c'est la France entière qui est de la ____.

Le Nouvel Observateur, 10 juillet 1996.

GRAMMAIRE

5 La place de l'adjectif

Caractérisez le nom souligné par l'adjectif entre parenthèses.

Exemple : Ce gâteau est excellent. C'est un dessert (bon) → C'est un bon dessert.

- Ce modèle de voiture date des années trente. C'est une voiture (ancienne).
- Ces pommes de terre ont été récoltées cette année. Ce sont des pommes de terre (nouvelles).
- Annie connaît très bien Antoine. C'est son mari (ancien).
- Tout le monde connaît Marie Curie. C'est une femme (grande).
- Voilà pour toi ! C'est un cadeau (petit).
- Il n'arrête pas de pleuvoir depuis 10 jours. Quel temps (sale) !
- Tu es très mal chaussé. Va t'acheter des chaussures (nouvelles) !
- L'ancien mannequin Inès de la Fressange mesure 1,81 m. C'est une femme (grande).

6 Les propositions participes (présent et passé)

Combinez les phrases entre crochets en utilisant les propositions participes.

Exemple : Ayant choisi de ne jamais quitter le monde de l'enfance, Jérôme Savary a décidé très jeune de consacrer sa vie au théâtre.

érôme Savary et les trente ans du Grand Magic Circus.

[Jérôme Savary a choisi de ne jamais quitter le monde de l'enfance. Il a donc décidé très jeune de consacrer sa vie au théâtre]. Il fête cette année les trente ans de son Grand Magic Circus.

[Il entre à l'école des Beaux-Arts dans les années inquante. Mais il a décidé de faire plusieurs choses à la ois. Alors, il dessine, joue dans les fanfares, fait du héâtre.]

Mais il est bientôt appelé par l'armée. [Il refuse de faire a guerre d'Algérie. Il est attiré par l'Amérique où il est é. Il se réfugie à New York.]

[Là-bas, il découvre le mouvement hippie. Il vit des artes postales qu'il dessine. Il s'enivre de jazz.]

[Quelques années plus tard, il revient à Paris. Il crée sa ompagnie théâtrale. Il monte son premier spectacle ans un petit théâtre de Pigalle.]

rès vite, il impose un style. [Les pièces de Jérôme avary mêlent les genres (chanson, musique, danse, crobatie). Elles tournent tout en dérision. Ce sont des arodies joyeuses.]

[La troupe a été plusieurs fois rebaptisée (Grand Panique Circus, Grand Circus, Grand Magic Circus). Mais elle ntretient toujours une grande complicité avec son ublic.]

7 Participe présent ou adjectif verbal

Complétez avec des participes présents ou des adjectifs verbaux formés d'après les verbes entre parenthèses.

Marie est un amie *(négliger)*. Elle ne m'a pas invité à la première de son nouveau spectacle. Je me souviens que son spectacle *(précéder)* avait surpris le public, *(provoquer)* des réactions controversées chez les critiques. Il est vrai que *(négliger)* les conventions, Marie avait conçu des scènes très *(provoquer)*. Mais la pièce avait finalement eu du succès. Une critique particulièrement *(influer)* l'avait trouvée *(exceller)*, *(convaincre)* le reste des critiques. Par ailleurs, *(exceller)* toujours dans la défense des spectacles, Marie avait été très *(convaincre)* à la télévision. Elle avait eu la chance que son interview passe à une heure *(précéder)* un film célèbre, *(influer)* ainsi sur des millions de téléspectateurs.

- Il existe des adjectifs formés d'après le verbe avec les suffixes **-ant** ou **-ent**. Ce sont les adjectifs verbaux. À la différence du participe présent, ils s'accordent avec le nom qu'ils qualifient.
« **Exaltant** les valeurs républicaines, le premier ministre a essayé de proposer au pays des perspectives **exaltantes**. »

- Le participe présent et l'adjectif verbal peuvent avoir des orthographes différentes.
« L'atmosphère était **suffocante**. Pierre plongea dans la piscine et resta au fond, jusqu'à ce que, **suffoquant**, il soit obligé de remonter. »

Le château de Dampierre.

8 Description et caractérisation

À partir des notes suivantes, rédigez pour un guide touristique un paragraphe de présentation de la vallée de Chevreuse.
Suivez les instructions données en marge.

La vallée de Chevreuse.

- Elle est située au sud-est de Versailles – Elle est accessible par RER en trente minutes au départ de Montparnasse – C'est un lieu d'excursion bien connu des Parisiens. } une phrase (avec une proposition adjective et une proposition participe passé).
- Elle a été aménagée en parc naturel. Elle offre des paysages de forêts, de petits villages et de châteaux – Elle se découvre à pied ou à VTT. } une phrase (propositions participe présent).

La forêt de Chevreuse.

- C'est le poumon de la région parisienne – On peut y observer des sangliers et des biches en liberté – Elle permet de découvrir de nombreuses espèces animales et végétales. } une phrase (propositions relatives).

L'abbaye de Port-Royal.

- Elle a été construite au début du XIIIe siècle – Il en reste des vestiges dans la forêt de Chevreuse. } une phrase (proposition relative).
- Elle a connu son heure de gloire au XVIIe siècle – Ce fut un haut lieu de la pensée janséniste (catholicisme très strict) – Les défenseurs de cette pensée ont été persécutés par Louis XIV. } une phrase (propositions relatives).

ÉCRIT

9 Expression des opinions

a. **Lisez les informations ci-contre et les opinions des Français sur les quotas imposés aux radios.**

b. **Relevez et classez les différentes opinions formulées ci-dessous par les quatre personnes :**

- sur les chansons françaises ;
- sur les programmes de radio ;
- sur l'idée des quotas.

LA DÉFENSE DE LA CULTURE FRANÇAISE

SYSTÈME DES QUOTAS ET EXCEPTION CULTURELLE

Si les Français accueillent volontiers les produits des cultures étrangères, ils restent également très attachés à leur propre culture.

Plusieurs mesures ont donc été prises pour protéger les productions françaises. Depuis janvier 1996, 40 % des chansons diffusées à la radio doivent être françaises... D'autre part, les dirigeants français souhaitent que dans les accords économiques entre les pays les biens culturels ne soient pas confondus avec les autres.

c. **À partir de ces quatre points de vue, rédigez une brève présentation de l'opinion des Français sur la décision du gouvernement d'imposer un quota de 40 % de chansons françaises.**

Que pensez-vous des 40 % de chanson française imposés aux radios ?

- Jean-Jacques Dufour
- 44 ans
- Journaliste
- Neuilly-sur-Seine (92)

« J'adore la chanson française, donc l'idée d'en diffuser plus à la radio ne me déplaît pas. Mais si c'est pour entendre des nullités, ce n'est pas très intéressant. Plus ne signifie pas forcément meilleure ! Malheureusement, de même qu'il existe aujourd'hui une pensée unique, il y a une chanson unique. Alors, si dans ces quotas, on pouvait inclure du jazz ou de la musique africaine, ce serait encore mieux. »

- Alina Raynaud
- 26 ans
- Libraire
- Paris XVIIe

« Je trouve ça très bien ! Sans aller jusqu'à parler d'invasion, il faut reconnaître que, d'une manière générale, les radios passent beaucoup trop de musique anglo-saxonne. Je pense que ce quota est un bien pour la langue française et pour notre patrimoine national, même si la variété n'est pas vraiment ma tasse de thé. J'espère aussi qu'il encouragera la création et permettra à de jeunes artistes de s'imposer. »

- Pierrot Roffe
- 24 ans
- Musicien
- Paris XVIIe

« Oui et non. C'est bien qu'il y ait plus de chansons françaises mais je n'aime pas trop celles qui passent à la radio. Si c'est pour entendre Karen Cheryl, tout ça, je préfère m'en passer. Et puis, ça ne veut pas dire que les disques seront de meilleure qualité. Mais ça va peut-être aider les jeunes artistes... Moi, je joue du jazz alors je ne me sens pas concerné : que ce soit français ou pas, ça ne passe pas ! »

- Olivier Decouis
- 22 ans
- Livreur
- Paris XIXe

« C'est encore d'actualité ça ? Je pense que ce n'est pas forcément un bien. Ça va peut-être aider la production française. Mais il ne faut pas se leurrer : il y a plein de choses qui lui nuisent, à commencer par les compilations. On ne vend que du vieux ! J'écoute de tout, du classique au reggae. Ce qui me choque, c'est l'aspect autoritaire de cette mesure, le fait que le gouvernement dicte aux radios ce qu'elles doivent diffuser. »

Aujourd'hui, 3 janvier 1996.

. **Lisez les informations ci-contre.**

rès de chez vous, quelqu'un décide 'aménager un petit musée consacré à ne tradition locale (à définir) : moment 'histoire, industrie, activité agricole, astronomie, etc.

onnez en quelques lignes votre pinion sur la création de ce musée.

Plus de 6 000 musées en France

Il existe en France plus de 6 000 musées ; du plus célèbre (Le Louvre) au plus insolite (le musée des vieux chiffons à Loqueffret, en Bretagne). Pour satisfaire la curiosité des amateurs de choses du passé, mais aussi dans un but commercial, on aménage dans les endroits les plus banals des espaces réservés à la mémoire (plages, marchés, autoroutes, stations de ski, gare, restaurant, ferme, etc).

La mode est également aux écomusées qui présentent les traditions folkloriques, professionnelles ou gastronomiques.

D'après *Modes et Travaux*, mars 1995.

10 Explications et significations

a. Lisez le titre et le premier paragraphe du texte de la page 73.
Parmi les phrases suivantes, cochez celles qui annoncent le mieux le contenu de l'article.

1. Cet article est un article de sociologie.
2. Il expose la meilleure façon de dormir.
3. Il présente les idées de l'anthropologue Claude Lévi-Strauss.
4. Il traite de la fonction des objets quotidiens dans la société.
5. Il développe l'idée que les objets et les habitudes en relation avec le sommeil sont différents selon les lieux et les époques.
6. Il affirme que la place du lit dans les sociétés est universelle.

b. Lisez l'article. Au fur et à mesure de votre lecture, complétez le tableau.

Lieux/époques	Objets, habitudes, rites en relation avec la manière de dormir	Explications et significations
Océanie	On dort sur le sol (à la dure) Natte…	Recherche de fraîcheur – Aération

c. Relevez et classez tout le vocabulaire relatif au lit.

1. Types de lit : … 2. Parties du lit : … 3. Accessoires : …

d. Rédigez une courte phrase qui résume l'idée principale de chaque paragraphe.

e. Imaginez et rédigez une brève explication des façons de dormir représentées sur les photos de la page 73.

f. Voici une liste de types de sièges. Notez pour chacun les principales significations qui vous viennent à l'esprit.

Exemple : le fauteuil de style ancien : peu confortable – marque souvent des goûts bourgeois ou artistiques – le caractère ancien de l'objet est plus important que sa fonction.

- une chaise
- un fauteuil de style ancien
- un fauteuil moderne
- une chauffeuse
- un fauteuil de jardin
- un tabouret de cuisine
- un tabouret de bar
- une chaise longue (un transat)
- un canapé
- un canapé-lit
- un banc
- un pouf
- un divan
- un strapontin
- un trône

g. Recherchez les significations qui sont rattachées à l'action de « s'asseoir ».

– selon les zones géographiques ;
– selon les relations hiérarchiques entre les personnes ;
– selon les époques.

LA PLACE DU LIT DANS NOTRE VIE

Double lit clos breton (1648).

Dormir étant une technique, celle-ci reflète une appréciation, une vision du monde. Et, de même que Claude Lévi-Strauss opposait, en matière d'aliments, les civilisations du « cru » et du « cuit », on peut dire que l'humanité se répartit, sur le plan horizontal, quoique de façon moins rigoureuse, entre sociétés du « dur » et du « mou ». Le bien-être n'a pas en effet la même définition dans toutes les cultures. La climatologie est un élément essentiel de ces différences.

En Océanie, on dort « à la dure », à même le sol, sur une natte, un lit de rondins ou une simple planche à pieds, et on a l'habitude de surélever la tête à l'aide d'un petit tabouret afin qu'elle puisse prendre l'air et le vent. En Afrique, le chevet de type appuie-tête a également pour fonction, outre la recherche de la fraîcheur, d'éviter les dégâts que pourrait occasionner le sommeil à des coiffures artistiquement tressées et ornées de perles, d'épingles et de coquillages divers.

L'Occident, en revanche, a fait le choix du « mou » : sommiers souples, matelas, traversins et oreillers de plumes en étant les symboles évidents. Un confort tendre dont nous avons en grande partie emprunté l'idée [...] à la civilisation arabo-andalouse et bien sûr au Moyen-Orient, *via* les Croisades. Le mot « matelas », qui n'est apparu dans notre langue qu'au XVe siècle, est d'ailleurs une adaptation de l'arabe *matrah*, qui signifie « chose jetée à terre » : la nuit venue, les Arabes disposaient, face à la porte des maisons, des couches moelleuses qui, le jour, étaient roulées et empilées. [...].

L'histoire récente du lit est une saga en dents de scie. Dans les années soixante-dix, le drap-housse et la couette venue des pays nordiques viennent bouleverser le traditionnel lit bordé de nos grands-parents. Il faut pouvoir l'ouvrir aussi vite qu'une boîte de conserve ou un plat surgelé. On voit aussi se généraliser, du fait du naturalisme hippie, le simple matelas posé par terre. Puis, du fait de la montée du mode de vie célibataire et par manque de place dans les studios, la chambre à coucher disparaît pour ne plus laisser que le lit à tout faire, où l'on bouquine, téléphone, fait l'amour, regarde la télé, mange et, bien sûr, de temps en temps aussi, dort. Une évolution remise aujourd'hui en cause par un retour aux fonctions plus traditionnelles du lit. La chambre à coucher revient en force et on a le choix entre plusieurs conceptions, l'une plus près de nos racines européennes et paysannes, avec des lits traditionnels surélevés, l'autre, plus claire, nette et basse, influencée par le tatami et le futon japonais. Quoi qu'il en soit, le lit redevient un élément central de notre salut.

Pascal Dibie
Ça m'intéresse, mai 1996.

LITTÉRATURE

11 Poésie et évènements biographiques ou historiques

NB : Les trois poèmes qui suivent complètent ceux qui sont présentés dans le livre de l'élève, p. 84 à 86, pour le projet : « Récital de poésie ». Ils peuvent aussi être traités séparément.

Né en 1810, Alfred de Musset se révèle être un jeune homme brillant qui fréquente très tôt les poètes romantiques. À 23 ans, il a une aventure amoureuse avec la femme écrivain George Sand. Mais la jeune femme le quitte au bout de deux ans, le laissant dans une solitude profonde et désespérée. Alfred de Musset est alors sujet à des hallucinations et à des dédoublements de personnalité.

Le long poème La Nuit de décembre *dont voici le début témoigne de ces sentiments et de cet état psychologique.*

Du temps que j'étais écolier,
Je restais un soir à veiller
Dans notre salle solitaire.
Devant ma table vint s'asseoir
Un pauvre enfant vêtu de noir,
Qui me ressemblait comme un frère.

Son visage était triste et beau.
À la lueur de mon flambeau[1],
Dans mon livre ouvert il vint lire.
Il pencha son front sur ma main,
Et resta jusqu'au lendemain,
Pensif, avec un doux sourire.

Comme j'allais avoir quinze ans,
Je marchais un jour, à pas lents,
Dans un bois, sur une bruyère.
Au pied d'un arbre vint s'asseoir
Un jeune homme vêtu de noir,
Qui me ressemblait comme un frère.

Je lui demandais mon chemin ;
Il tenait un luth d'une main,
De l'autre un bouquet d'églantine[2].
Il me fit un salut d'ami,
Et, se détournant à demi,
Me montra du doigt la colline.

À l'âge où l'on croit à l'amour,
J'étais seul dans ma chambre un jour,
Pleurant ma première misère.
Au coin de mon feu vint s'asseoir
Un étranger vêtu de noir,
Qui me ressemblait comme un frère.

Il était morne et soucieux ;
D'une main il montrait les cieux,
Et de l'autre il tenait un glaive[3].
De ma peine il semblait souffrir,
Mais il ne poussa qu'un soupir,
Et s'évanouit comme un rêve. [...].

Alfred de Musset, *Les Nuits*, 1835.

a. Tableau à compléter pour chaque poème.

Sentiment(s) ou idée principale évoqués par le poète	
Décors ou situation à travers lesquels ce(s) sentiment(s) s'exprime(nt)	
Évènements biographiques ou historiques qui ont inspiré le poète	

b. La signification de la vision de Musset.

- **Dans les différentes « apparitions » dont Musset est témoin, relevez des ressemblances et des différences.**

En fonction de quoi la vision évolue-t-elle ?

Moments de la vie évoqués	Caractéristiques de l'apparition
Enfance du poète...	

- **Faites des hypothèses sur la suite du poème.**

- **Qui est, d'après vous, la personne qui apparaît au poète ?**

1. Sorte de bougie.
2. Le luth et la fleur d'églantine sont les attributs des poètes.
3. Sorte d'épée à lame plate.

c. Le chant d'amour de Louis Aragon

À quoi Aragon identifie-t-il les yeux d'Elsa ? Faites la liste de ces identifications et des associations poétiques comme dans l'exemple.

Vers 1 : yeux = source profonde → qui étanche la soif / désirs spirituels et charnels).

Vers 2 : yeux = miroir → ...

En 1927, Louis Aragon qui fait parti du mouvement surréaliste et qui vient d'adhérer au parti communiste a une déception amoureuse et tente de se suicider. Quelques mois plus tard, il fait la connaissance d'Elsa qu'il ne quittera plus et qu'il célébrera tout au long de son œuvre poétique.

Tes yeux sont si profonds qu'en me penchant pour boire
J'ai vu tous les soleils y venir se mirer
S'y jeter à mourir tous les désespérés
Tes yeux sont si profonds que j'y perds la mémoire

[...]

Les vents chassent en vain les chagrins de l'azur[1]
Tes yeux plus clairs que lui lorsqu'une larme y luit
Tes yeux rendent jaloux le ciel d'après la pluie
Le verre n'est jamais si bleu qu'à sa brisure[2]

[...]

Tes yeux dans le malheur ouvrent la double brèche
Par où se reproduit le miracle des Rois[3]
Lorsque le cœur battant ils virent tous les trois
Le manteau de Marie accroché dans la crèche

Louis Aragon, *Les Yeux d'Elsa*, Paris, 1942.

1. Le ciel.
2. La cassure.
3. Il s'agit des Rois Mages qui, guidés par une étoile, sont venus se prosterner devant Jésus nouveau-né dans la grotte de Bethléem.

d. L'âme de l'Afrique. En lisant ce poème, notez tout ce qui évoque des mentalités et des images particulières à l'Afrique.

Exemple : « Je ne sais en quels temps c'était » → caractère immuable de l'Afrique à l'époque où le poème a été écrit.

Poète sénégalais, Léopold Sédar Senghor a toujours chanté les valeurs culturelles de l'Afrique.

À l'origine de ce poème, un pèlerinage à Fa'oye, sanctuaire où sont enterrés les rois de la région natale du poète.

Je ne sais en quels temps c'était, je confonds toujours l'enfance et l'Éden
Comme je mêle la Mort et la Vie – un pont de douceur les relie.

Or je revenais de Fa'oye, m'étant abreuvé[1] à la tombe solennelle
Comme les lamantins[2] s'abreuvent à la fontaine de Simal[3].
Or je revenais de Fa'oye, et l'horreur était au Zénith
Et c'était l'heure où l'on voit les Esprits, quand la lumière est transparente.

Et il fallait s'écarter des sentiers, pour éviter leur main fraternelle et mortelle.
L'âme d'un village battait à l'horizon. Était-ce des vivants ou des Morts ?

Léopold Sédar Senghor, *Éthiopiques*, Seuil, 1956.

1. Boire.
2. Sorte de phoques (ou d'otarie) vivant à l'embouchure des fleuves tropicaux.
3. Lieu de la région où Senghor a passé son enfance.

UNITÉ 8

VOCABULAIRE

1 L'économie

a. Dans chacune des colonnes ci-dessous, remettez dans l'ordre la suite des différents évènements qui ont provoqué la grande crise économique de 1929.

La crise économique de 1929 aux États-Unis.

Origine de la crise.

a. À partir de 1927, le progrès technique ralentit.
b. Jusqu'en 1927, les États-Unis connaissent une période de grande prospérité économique.
c. La spéculation se développe considérablement.
d. Pour relancer la consommation, on accorde de grandes facilités de crédit.
e. Le pouvoir d'achat diminue.
f. Les spéculateurs profitent de ces conditions de crédit pour acheter des actions.
g. La consommation baisse.
h. La forte demande d'actions provoque une hausse des cours de la Bourse.

Le krach de Wall Street (octobre 1929) et ses conséquences.

a. Toutes les banques de Wall Street font faillite.
b. Tout le monde veut retirer son argent.
c. Tout commence par la faillite d'une banque : la banque Harry.
d. Des millions de gens se retrouvent au chômage.
e. Les spéculateurs méfiants vendent leurs actions.
f. Les entreprises font faillite.
g. Les cours de la Bourse s'effondrent.
h. Les banques ne faisant plus crédit, la consommation s'arrête.

b. À quel évènement décrit ci-dessus peut s'appliquer chacun des phénomènes économiques suivants ?

la croissance / la récession – une baisse / hausse des taux d'intérêt – une offre supérieure / inférieure à la demande – une spéculation – une chute des cours.

2 Domination et soumission

a. Lisez le titre et les deux premiers paragraphes du texte « Le bras de fer Nord-Sud ».

- **Recherchez dans le texte des expressions synonymes de « Nord » et « Sud ». Complétez avec d'autres expressions que vous connaissez.**
- **Quel problème économique se posait aux pays du Sud avant leur indépendance ?**

Quel est le problème qui se pose aujourd'hui ?

• **Relevez le vocabulaire qui permet de compléter le tableau.**

Idée de conflit	Idée de domination	Idée de soumission	Idée d'indépendance

b. **Lisez le troisième paragraphe du texte. Complétez le tableau de vocabulaire commencé en a. avec des mots du texte et avec les mots ci-contre. Notez les dérivations possibles.**

Exemple : un affrontement → s'affronter.

• **Qu'a tenté de faire la CNUCED ? Quel a été le résultat du projet ?**

c. **Lisez les deux derniers paragraphes. Relevez tous les mots qui indiquent une relation de cause ou de conséquence.**

• **Notez l'enchaînement des causes et des effets décrits dans ces paragraphes.**

« Ces dernières années : chute des cours des matières premières
→ ... »

▲ *un antagonisme*
▲ *asservir*
▲ *assujettir*
▲ *être sous l'autorité de...*
▲ *se libérer de...*
▲ *être à la merci de...*
▲ *se résigner*
▲ *une rivalité*
▲ *servir*
▲ *soumettre*
▲ *se soumettre à...*
▲ *subir*
▲ *supporter*

d. **Les représentants des pays du Sud manifestent à Paris contre les pays du Nord. Imaginez, d'après l'article, trois slogans qui pourraient exprimer leurs revendications.**

Exemple : Pour une stabilisation des cours des matières premières.

LE BRAS DE FER NORD-SUD

Les pays en voie de développement sont encore fortement tributaires des ressources des pays riches.

L'histoire des matières premières est marquée par de multiples affrontements entre le Nord riche et industrialisé et le Sud. Les premiers ont imposé leur domination à travers le système colonial, qui a abouti à une exploitation à grande échelle des richesses des pays pauvres. L'accession de ces pays à l'indépendance à partir des années cinquante n'a pas modifié profondément la situation.

Pourquoi ? Parce qu'ils restent fortement dépendants de leurs approvisionnements. En effet, s'ils sont eux-mêmes producteurs de certains produits de base, ils dépendent néanmoins très largement des importations pour faire fonctionner leur économie. Ainsi, l'Afrique importe 70 % des matières premières dont elle a besoin, l'Amérique latine 68 %. Les grands pays industrialisés se trouvent dans une situation plus favorable puisqu'ils n'achètent à l'étranger que 20 % des matières premières dont ils ont besoin.

Pour s'affranchir de cette tutelle, les pays pauvres ont bien tenté de s'organiser en passant des accords internationaux par produits comme par exemple pour le café ou le cacao. Objectif : mettre en place un système assurant à ces pays des rentrées d'argent régulières. La CNUCED – organisme de l'ONU créé pour assurer le développement économique du tiers-monde – avait en 1976, lors de la conférence de Nairobi (Kenya), mis sur pied un système visant à stabiliser les cours des matières premières. Mais les accords conclus à l'époque entre pays industrialisés et pays du tiers-monde n'ont pas été respectés, la spéculation internationale a été plus forte.

Les pays pauvres restent non seulement dépendants des livraisons du Nord, mais ils doivent faire face à des cours instables. Leur évolution engendre la crise ou la prospérité. La chute continue des cours ces dernières années, due au ralentissement de l'activité économique, a contraint la plupart des pays pauvres à augmenter leur production de façon à maintenir leur niveau de recettes.

Résultat : les cours ont eu tendance à baisser, ce qui signifie pour ces pays moins de recettes. Une situation qui aura surtout profité aux pays riches, leur permettant d'acheter aux pays en développement certains produits de base à moindre prix. ■

Michel Heurteaux,
Les clés de l'actualité, novembre 1995.

3 Approuver – désapprouver – pardonner

Remplacez les expressions familières en italique par un verbe de la liste. Reformulez la phrase quand c'est nécessaire.

Dialogue entre deux adolescents :

- Pff. *J'en ai marre de* mon père. Figure-toi qu'*il m'a encore passé un savon* à cause du téléphone. Maintenant, il demande des factures détaillées et il s'est aperçu que mes coups de fils à Charlotte lui avaient coûté plus de mille francs. *Ça l'a mis en boule.*
- T'as pas essayé de le calmer en lui disant que tu avais eu 18 en maths ?
- Si. Je lui ai mis sous les yeux mon carnet de notes. D'abord, il a vu la note de maths et il m'a dit : « *Je* te *tire mon chapeau* et pour ça *je passe l'éponge* sur l'histoire du téléphone. » Puis il a lu l'appréciation du prof d'histoire-géo où *je me fais fusiller* pour bavardage en classe et il a recommencé à *m'enguirlander.*
- Et ta mère est aussi pénible ?
- Non, avec elle, c'est le contraire, tout ce que je fais c'est bien. Et quand je fais une bêtise, en général, *elle ferme les yeux.*

- ■ contrarier
- ■ critiquer
- ■ être excédé par...
- ■ féliciter
- ■ gronder
- ■ pardonner
- ■ réprimander
- ■ tolérer

4 Conflits et litiges

À partir de chacun des points de départ des conflits suivants, imaginez un scénario possible. Utilisez les verbes de la liste et faites de très courtes phrases.

Exemple : 1. Les riverains protestent auprès des jeunes.
Ils n'obtiennent pas satisfaction.
Les riverains réclament une intervention de...

1. Dans un quartier tranquille, une petite place tranquille où la circulation est interdite. Quelques jeunes font de la planche à roulettes. Mais jour après jour, d'autres jeunes des autres quartiers de la ville en font leur terrain de jeu. Et la petite place devient un lieu de rendez-vous de tous les jeunes pratiquant ce sport...
2. Les syndicats de l'entreprise Delta remarquent que les salaires des ouvriers n'ont pas été augmentés depuis trois ans et que le nombre d'heures supplémentaires est très élevé...
3. Pierre et Hélène viennent de divorcer et partagent les meubles et les objets de leur appartement. Mais Hélène refuse de donner à Pierre une belle armoire qu'elle avait achetée avant leur mariage. De colère, Pierre met le feu à l'appartement...
4. Marine travaille depuis 15 ans dans l'entreprise Seligma à Perpignan. Un jour, sans l'avertir, le responsable du personnel décide de la nommer dans la filiale de Lille...

- ■ protester
- ■ réclamer
- ■ s'indigner
- ■ porter plainte (contre quelqu'un – pour vol)
- ■ porter l'affaire devant le conseil, le tribunal...
- ■ menacer
- ■ se mobiliser
- ■ faire grève
- ■ faire un procès
- ■ mener une enquête (auprès de...)
- ■ plaider sa cause (auprès de...)
- ■ juger une affaire
- ■ condamner
- ■ négocier
- ■ faire des concessions
- ■ signer un compromis
- ■ s'entendre à l'amiable
- ■ obtenir satisfaction

GRAMMAIRE

5 Expression de la durée

a. Complétez les pointillés en utilisant toutes les expressions de la liste ci-contre.

b. Posez les questions qui permettent d'obtenir les informations en italique.

Exemple : Quand le président Giscard d'Estaing chargea-t-il un architecte de transformer les abattoirs de la Villette ? – *Au milieu des années soixante-dix.*

- au cours de...
- cela fait (faisait)... (que...)
- dans le courant de...
- depuis...
- dès...
- en...
- en l'espace de...
- il y a (avait)... (que...)
- pendant...
- sur...

La construction de la Cité des Sciences et des Techniques (parc de la Villette à Paris).

Quand le président Valéry Giscard d'Estaing, *au milieu des années soixante-dix*, chargea un architecte de transformer les abattoirs[1] de la Villette, ... déjà *plusieurs années* que ces vastes terrains étaient désaffectés.

C'est ... *l'année 1977* que l'architecte Taillibert proposa la construction d'un musée des sciences et des techniques.

Le projet fut débattu ... *deux ans* et le décret ministériel de création fut signé ... 1979.

La construction du site s'est faite ... six ans.

... mois de mai 1985, le président François Mitterrand inaugura la Géode et ... le début de 1986, cette salle de projection extraordinaire accueillait de nombreux visiteurs. En 1996, ils étaient 10 millions à l'avoir visitée ... son ouverture.

La Cité des sciences et des techniques ouvrit au public en 1986 et ... quelques mois elle devint aussi célèbre que le Louvre.

En 1996, elle avait accueilli plus de 30 millions de visiteurs.

Quant à la Cité des métiers dont la construction s'est étalée ... *plusieurs années*, ..., en 1996, *trois ans* qu'elle était ouverte au public.

---

1. Abattoir : lieu où l'on tue les animaux de boucherie.

6 Le déroulement de l'action

En utilisant les verbes du tableau, imaginez le déroulement des activités suivantes. Pour chaque activité indiquez :

1. un début – 2. un arrêt momentané – 3. une reprise de l'activité – 4. une continuation – 5. la fin de l'activité.

Exemple : a. Il s'est mis à la guitare pendant l'été. À la rentrée, en septembre, il s'est arrêté quelques semaines, mais...

a. Une personne a décidé d'apprendre à jouer de la guitare.

b. L'ensemble des personnels de l'entreprise s'est réuni en assemblée générale pour décider d'une éventuelle modification des horaires.

c. Un jeune homme a disparu. La police fait des recherches.

d. Malgré les difficultés qu'elle rencontre, Nathalie a décidé de faire une carrière de chanteuse.

- se mettre à... – s'engager dans... – entreprendre – débuter – ouvrir
- (s')arrêter (de...) – (s')interrompre – faire une pause – suspendre
- reprendre – se remettre à... – recommencer
- continuer – (se) poursuivre – (se) prolonger – persister
- finir – mettre fin à... – cesser (de...) – clôturer – abandonner

7 L'expression de la conséquence

a. Conséquence exprimée par un adverbe ou une préposition.
Reliez les phrases suivantes en exprimant les relations de conséquence avec les mots entre parenthèses. Reformulez les phrases quand c'est nécessaire.

Les femmes et la croissance économique des nations (d'après *Courrier international*, septembre 1995).

- D'énormes progrès ont été réalisés en matière d'égalité des sexes → le fossé qui sépare les hommes et les femmes dans le domaine de l'éducation s'est réduit entre 1970 et 1990 (*Aussi*).
- Cette évolution s'est faite également dans le domaine de la santé → Les conditions d'hygiène et de soin se sont améliorées dans les maternités (*Donc*) → Le taux de mortalité des femmes en couches est en diminution (*D'où*).
- Mais 60 % des 130 millions d'enfants exclus de l'enseignement primaire restent des filles → On compte deux fois plus de femmes illettrées que d'hommes (*C'est pourquoi*).
- Par ailleurs, les femmes sont moins éduquées que les hommes et leur niveau de formation est inférieure → Elles touchent un salaire inférieur de 30 à 40 % à celui des hommes (*De ce fait*) → De nombreux économistes estiment qu'il est impératif de combler le fossé entre les hommes et les femmes (*C'est la raison pour laquelle*) → On ferait progresser la justice sociale (*Alors*) → L'économie en profiterait probablement (*Par conséquent*).

b. Conséquence exprimée par une conjonction. Reliez les phrases en utilisant les conjonctions de la liste :

Suite de l'exposé commencé en a.

- Le niveau d'éducation des femmes est insuffisant → Elles sont un frein pour la croissance économique.
- Il faudrait donc que ce niveau progresse réellement → Elles participeraient vraiment à l'économie du pays.
- Une femme instruite et active a moins d'enfants → Le capital du couple augmente.
- Les revenus familiaux seront alors plus importants → Les enfants seront mieux nourris, mieux soignés et mieux éduqués.

■ de sorte que...
■ si bien que...
■ à tel point que...
■ au point que...

c. Conséquence exprimée par un verbe. Complétez avec un verbe de la liste.

Suite de l'exposé précédent.

La différence de niveau d'éducation entre les femmes et les hommes ... une hiérarchie dans le couple. C'est généralement l'homme qui apporte les revenus familiaux. Cet atout le ... seul maître des décisions du ménage. Cette réalité ... une répartition inégale du capital entre l'homme et la femme. Par ailleurs, selon certaines habitudes culturelles, les femmes ne sont pas habituées à négocier. Ce qui les ... avoir un pouvoir de décision assez réduit dans leur famille.
La législation relative au statut des femmes pourrait être modifiée. On leur ... ainsi une place plus juste et cela ... une redéfinition des rôles de chaque sexe.

■ aboutir à...
■ amener à...
■ avoir pour conséquence
■ donner
■ engendrer
■ rendre

ÉCRIT

8 Plaintes et mises en garde

a.

Mesdames, Messieurs,

Vous êtes priés de mettre vos poubelles dans les locaux prévus à cet effet. Il est inadmissible qu'on trouve des sacs d'ordures déposés dans les couloirs, près des caves ou du garage à vélos.

La concierge

b.

Julien,

Si tu ne ranges pas ta chambre avant que je revienne du travail, pas question d'aller au cinéma ce soir !

À bon entendeur, salut !

Maman

c.

EFFETS INDÉSIRABLES

Comme tout produit actif, ce médicament peut, chez certaines personnes, entraîner des effets plus ou moins gênants : insomnies, palpitations, etc.

Dans de rares cas, il est possible que surviennent une éruption cutanée ou une réaction allergique. Il faut immédiatement arrêter le traitement et demander un avis médical.

d.

PARENTS ! PROTÉGEZ VOS ENFANTS !

La décision de la municipalité de ne plus assurer la surveillance de la sortie des écoles primaires à l'heure du déjeuner ne peut vous laisser indifférents !

La sécurité des vos enfants est en jeu !

Parents ! Mobilisez-vous !

TOUS À LA MANIFESTATION
DEVANT LA MAIRIE
Samedi 18 janvier à 10 heures

(Association des parents d'élèves de l'école primaire de la rue Chateaubriand)

a. Lisez les quatre documents ci-dessus et complétez le tableau.

	Qui écrit ?	À qui est destiné le document	Type de document et situation d'utilisation	Fonction du document (que veut faire celui qui écrit)
(a)	....	....	Panneau ou affichette apposée à l'entrée d'un immeuble	Se plaindre – donner un ordre

b. Pour chacune des situations suivantes, rédigez un texte imité d'un des quatre textes ci-dessus. Indiquez la forme que vous donneriez à votre document (lettre, affichette...), et son destinataire.

1. Une petite rue longe le canal qui passe dans votre ville. La municipalité a décidé d'élargir cette rue en abattant les arbres qui poussent au bord du canal. Vous avez créé une association qui s'oppose à ce projet.

2. Vous utilisez la salle de réunion n° 214 uniquement l'après-midi. Et chaque fois, avant de commencer, vous êtes obligé de vider les cendriers, de jeter des papiers froissés, etc.

3. Sur votre lieu de travail, vous êtes responsable de la machine à café. C'est une vieille machine qui n'accepte de fonctionner qu'avec des pièces de 1 F et qui ne doit pas être malmenée.

4. Il y a un mois, vous avez apporté votre téléviseur en panne chez un réparateur. Mais ce réparateur semble avoir disparu. Il ne répond pas au téléphone et son magasin est toujours fermé.

9 Introduire un sujet

a. **Formuler un sujet et poser un problème.**
Vous trouverez, p. 83, trois débuts d'article sur des sujets très différents.
Faites une première lecture de ces trois extraits.
Pour chacun, rédigez trois phrases :

- **Ce que l'auteur veut démontrer.**

Exemple : texte A : La performance ne conduit pas forcément à la rentabilité et au bonheur.

- **Le problème posé en arrière-plan du sujet qui est traité.**

Exemple : texte B : L'État subventionne trop le secteur artistique.

- **Le résumé du débat :** « Les uns pensent que… Les autres… »

b. **Introduire un débat ou une argumentation.**

- **En vous aidant des indications ci-contre, recherchez la technique utilisée par l'auteur de chaque article pour introduire son sujet.**
- **Chacune de ces introductions vous paraît-elle adaptée pour attirer l'attention du lecteur ?**

Ça m'intéresse : manuel d'information à caractère scientifique et encyclopédique.

Le Nouvel Observateur : hebdomadaire d'informations générales (politique, société, culture) – opinion de gauche.

The New York Times : quotidien d'informations américain.

Comment introduire un débat ou une argumentation.

1 – Poser le problème le plus simplement et le plus clairement possible.
2 – Faire un rappel historique de la situation.
3 – Citer ou évoquer la pensée d'un auteur qui a parlé du même sujet. Commentez cette situation.
4 – Raconter une anecdote.
5 – Partir d'un aspect particulier du problème ou d'un détail frappant.
6 – Partir d'une idée générale ou d'une idée parallèle au débat.

c. **Trouver des idées d'introduction.**
Pour chacun des trois articles, recherchez une autre idée d'introduction.

Exemple : texte C → Information selon laquelle les filles apprennent à lire plus facilement que les garçons. Ont-elles des capacités spécifiques pour cela ?

d. **Imaginez et rédigez une introduction de quelques lignes pour l'article dont voici le résumé.**

Cet article expose les idées de Jeremy Rifkin, célèbre économiste américain qui annonce que le XXIe siècle sera le siècle de « la fin du travail ». De la même manière que les machines ont remplacé les ouvriers, les ordinateurs vont petit à petit remplacer les employés de bureau et les cadres moyens. Il faut donc penser le travail différemment. D'une part, en distribuant le travail autrement (en diminuant les horaires par exemple). D'autre part, en réorganisant la société. L'écologie, l'éducation, la vieillesse seront des secteurs productifs d'emplois au même titre que le marché ou l'administration.

A.

ON CONFOND TROP SOUVENT LA RENTABILITÉ AVEC LA PERFORMANCE

Difficile d'être un perdant dans nos pays; car le revers de la performance, c'est l'exclusion. Peut-on freiner cette mécanique infernale?

Jean-Jacques Rousseau rêvait d'un âge d'or, dans lequel les hommes n'auraient pas voulu prendre le dessus les uns sur les autres: c'est le mythe, célèbre, du «bon sauvage». Mais, en dehors de ces temps idylliques, qu'il situe à l'aube de l'humanité, il faut bien convenir de ce que le désir de se distinguer des autres en les dépassant a toujours existé. C'est ainsi, certes, que les guerres et les tyrannies ont marqué l'histoire, mais c'est de cette manière, également, que les civilisations et leurs chefs-d'œuvre sont nés. Le progrès lui-même n'est-il pas fondé sur l'esprit de compétition: ne s'agit-il pas, pour les philosophes successifs qui l'ont incarné, de rendre de siècle en siècle le monde plus juste, plus heureux, en un mot, plus performant?

Mais la machine, semble-t-il, s'est emballée: la performance n'est plus qu'une machine à malheur, à pauvreté et à désespoir. C'est la transformation industrielle qui est passée par là, rationalisant toutes les potentialités humaines pour les mettre au service d'un seul critère de sélection: l'argent.

Ça m'intéresse, avril 1996.

B.

TROP DE SUBVENTIONS TUENT LA CULTURE FRANÇAISE

En France, qu'ils soient chefs d'orchestre ou cinéastes, les grands noms de la culture ont l'âge d'être grand-père. Et les plus jeunes se complaisent dans un intellectualisme ennuyeux. C'est la faute de l'État et du parisianisme, explique le *New York Times*.

L'idée que se fait la France d'elle-même se reflète dans la riche vitrine culturelle de sa capitale et de ses villes de province. Personne ou presque ne voit d'inconvénient à ce que l'État octroie quelque 15 milliards de FF au secteur artistique. Et, aux yeux de tous, l'excellence culturelle semble être une bonne façon d'afficher la conviction qu'a la France de sa supériorité spirituelle et intellectuelle, de montrer à la face du monde qu'il existe un domaine dans lequel cette ancienne grande puissance est toujours la meilleure. Pourtant, malgré tous les efforts entrepris par l'Hexagone dans ce sens, malgré tout l'argent consacré à l'art, il y a comme un hic: la créativité s'est essoufflée. Très peu d'artistes, de musiciens ou d'écrivains français contemporains sont considérés comme des maîtres dans leur spécialité. Et les chanteurs, danseurs et réalisateurs ne font guère mieux. De toute évidence, si la vie culturelle est toujours florissante, c'est en grande partie grâce aux artistes et aux interprètes étrangers.

Alan Riding, *The New York Times*
article traduit par *Courrier international*,
janvier 1996.

C.

OUI, LES HOMMES ET LES FEMMES PENSENT DIFFÉREMMENT

Les deux cerveaux, pris en coupe longitudinale, évoquent deux noix gris clair, posées côte à côte. De forme très semblable, ils ne se différencient nettement que par la répartition de quelques taches jaunes et rouges: sur l'un des cerveaux, ces taches sont concentrées du côté gauche, tandis qu'elles sont bilatérales sur l'autre.

Due à Sally et Bennett Shaywitz, neurobiologistes à l'université de Yale, cette image réalisée par résonance magnétique représente les activités cérébrales respectives d'un homme et d'une femme à qui l'on demande si deux mots affichés sur un écran riment ensemble. Les taches rouges et jaunes décrivent les zones d'intense activité. Leur répartition montre qu'alors que les hommes ne se servent que de leur hémisphère gauche, les femmes utilisent aussi le droit pour effectuer la même opération de «représentation phonétique».

Michel de Pracontal
Le Nouvel Observateur, 30 mars 1995.

LITTÉRATURE

10 Le théâtre de l'absurde

Voici deux extraits de *La Cantatrice chauve,* célèbre pièce de Ionesco jouée depuis sa création (1957) sans interruption dans le petit théâtre de La Huchette à Paris.

Dans un appartement des environs de Londres, un couple d'Anglais bavarde. C'est le soir. Soudain la bonne entre en scène.

MARY, *entrant*: Je suis la bonne. J'ai passé un après-midi très agréable. J'ai été au cinéma avec un homme et j'ai vu un film avec des femmes. À la sortie du cinéma, nous sommes allés boire de l'eau-de-vie et du lait et puis on a lu le journal.

Mme SMITH : J'espère que vous avez passé un après-midi très agréable, que vous êtes allée au cinéma avec un homme et que vous avez bu de l'eau-de-vie et du lait.

M. SMITH : Et le journal !

MARY : Mme et M. Martin, vos invités, sont à la porte. Ils m'attendaient. Ils n'osaient pas entrer tout seuls. Ils devaient dîner avec vous, ce soir.

Mme SMITH : Ah oui. Nous les attendions. Et on avait faim. Comme on ne les voyait plus venir, on allait manger sans eux. On n'a rien mangé, de toute la journée. Vous n'auriez pas dû vous absenter !

MARY : C'est vous qui m'avez donné la permission.

M. SMITH : On ne l'a pas fait exprès !

Ionesco, *La Cantatrice chauve*, Gallimard, 1954.

a. Langage et situations absurdes.

- **Lisez l'extrait ci-contre. Caractérisez chaque phrase par un des adjectifs de la liste. Justifiez votre jugement.**

absurde – anormal – banal – bizarre – étrange – illogique – incohérent – insensé – original – stupide

Exemple : « Je suis la bonne » : anormal. Dans le théâtre réaliste, il est rare qu'un personnage se présente ainsi au public...

- **Imaginez l'entrée en scène, à la manière de Ionesco, d'un personnage d'une pièce de théâtre que vous connaissez bien.**

Exemple : L'entrée de Hamlet dans la pièce de Shakespeare : « Je suis Hamlet, le personnage principal de cette pièce. J'habite dans un château du Moyen Âge et je viens de rencontrer un fantôme... »

Les Martin sont finalement entrés et bavardent avec les Smith. À trois reprises, la sonnette de la porte retentit. Chaque fois, Mme Smith va ouvrir et ne trouve personne sur le palier. La sonnette retentit une quatrième fois. Mme Smith refuse d'aller ouvrir. C'est M. Smith qui le fait et le capitaine des pompiers apparaît.

M. SMITH : Monsieur le Capitaine, laissez-moi vous poser, à mon tour, quelques questions.
LE POMPIER : Allez-y.
M. SMITH : Quand j'ai ouvert et que je vous ai vu, c'était bien vous qui aviez sonné ?
LE POMPIER : Oui, c'était moi.
M. MARTIN : Vous étiez à la porte ? Vous sonniez pour entrer ?
LE POMPIER : Je ne le nie pas.
M. SMITH, *à sa femme, victorieusement* : Tu vois ? J'avais raison. Quand on entend sonner, c'est que quelqu'un sonne. Tu ne peux pas dire que le Capitaine n'est pas quelqu'un.
Mme SMITH : Certainement pas. Je te répète que je te parle seulement des trois premières fois puisque la quatrième ne compte pas.
Mme MARTIN : Et quand on a sonné la première fois, c'était vous ?
LE POMPIER : Non, ce n'était pas moi.
Mme MARTIN : Vous voyez ? On sonnait et il n'y avait personne.
M. MARTIN : C'était peut-être quelqu'un d'autre ?
M. SMITH : Il y avait longtemps que vous étiez à la porte ?
LE POMPIER : Trois quarts d'heure.
M. SMITH : Et vous n'avez vu personne ?
LE POMPIER : Personne. J'en suis sûr.
Mme MARTIN : Est-ce que vous avez entendu sonner la deuxième fois ?
LE POMPIER : Oui, ce n'était pas moi non plus. Et il n'y avait toujours personne.
Mme SMITH : Victoire ! J'ai eu raison.
M. SMITH, *à sa femme* : Pas si vite. (*Au pompier*) Et qu'est-ce que vous faisiez à la porte ?
LE POMPIER : Rien. Je restais là. Je pensais à des tas de choses.
M. MARTIN, *au pompier* : Mais la troisième fois… ce n'est pas vous qui aviez sonné ?
LE POMPIER : Si, c'était moi.
M. SMITH : Mais quand on a ouvert, on ne vous a pas vu.
LE POMPIER : C'est parce que je me suis caché… pour rire.
Mme SMITH : Ne riez pas, Monsieur le Capitaine. L'affaire est trop triste.
M. MARTIN : En somme, nous ne savons toujours pas si, lorsqu'on sonne à la porte, il y a quelqu'un ou non !
Mme SMITH : Jamais personne.
M. SMITH : Toujours quelqu'un.
LE POMPIER : Je vais vous mettre d'accord. Vous avez un peu raison tous les deux. Lorsqu'on sonne à la porte, des fois il y a quelqu'un, d'autres fois il n'y a personne.
M. MARTIN : Ça me paraît logique.
Mme MARTIN : Je le crois aussi.
LE POMPIER : Les choses sont simples, en réalité.

Ionesco, *La Cantatrice Chauve*.

b. Raisonnements absurdes.

- **Lisez la présentation de cette scène et la scène elle-même. Reconstituez le raisonnement logique que fait chaque personnage.**

Mme SMITH : Quand on sonne… Donc…

M. SMITH : …

M. ET MME MARTIN : …

- **En quoi les révélations du pompier vont-elles bouleverser ces raisonnements ?**
- **Montrez par des exemples que Ionesco se moque :**

– des scientifiques ;
– des couples ;
– des discussions entre amis ;
– des pompiers ;
– des pièces de théâtre en général.

UNITÉ 9

VOCABULAIRE

1 Sens « affectifs » de « petit », « grand », « gros », « haut »

Complétez avec un de ces quatre adjectifs.

Exemple : Comme il est *gros* mangeur et *grand* buveur...

Le paradoxe du Français moyen.

La première caractéristique du Français moyen, c'est qu'il semble refuser sa moyenne condition et n'accepte de voir le monde qu'en *grand*, en *petit*, en *gros* et de *haut*.

Comme il est ... mangeur et ... buveur, son ... plaisir consiste à aller manger un bon ... plat dans un ... restaurant en dégustant un ... vin de pays dans lequel il cherchera les qualités d'un ... cru.

À sa naissance, c'est d'abord un ... bébé. Il devient ensuite une ... fille ou un ... garçon qui fait tous les soirs de ... bises à ses parents. Puis, un adolescent à la recherche d'un(e) ... ami(e).

Il aime les hommes politiques qui ont de ... idées mais qui s'expriment par de ... phrases. En particulier, ceux qui défendent de ... causes avec de ... moyens.

Il a toujours défendu les ... gens contre la ... bourgeoisie, les ... paysans contre les ... agriculteurs, les ... commerçants contre les ... surfaces, les ... fonctionnaires contre les ... fonctionnaires, les ... porteurs contre les ... actionnaires.

Aussi peut-il marcher la tête ... . Même quand un ... rhume lui donne des soucis pour sa ... santé.

2 Les vertus et les vices

La morale chrétienne a répertorié sept vertus et sept vices (ou péchés capitaux) souvent représentés sous forme d'allégories par les peintres de la Renaissance.

a. **Classez les actions suivantes selon qu'elles sont en accord ou en désaccord avec les sept vertus.**

Exemple : la foi → croire en Dieu ≠ être athée.

- Être courageux
- Croire en Dieu
- Croire en l'avenir
- Ne pas envier les autres
- Être lâche
- Désespérer de l'avenir
- Être avare
- Mener une vie simple
- Frauder
- Observer la loi
- Être athée
- Être négligent
- Réfléchir avant de parler
- Être ambitieux

Les sept vertus

la foi

l'espérance

la charité

la justice

la prudence

la force

la tempérance

La justice

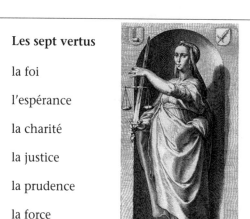

La luxure

Les sept péchés capitaux

l'orgueil

l'avarice

la gourmandise

l'envie

la luxure

la colère

la paresse

b. Quels seraient d'après vous les sept principaux vices de notre époque ? Les sept principales vertus qu'il faudrait recommander ?

Exemple : la gentillesse → un visage souriant.

3 L'immigration

a. Lisez le texte ci-contre. Recherchez et classez dans le tableau les mots qui expriment une idée de mouvement.
Complétez avec les verbes de la liste.
Donnez, quand c'est possible, les formes dérivées de ces mots (une invasion → envahir).

Idée de « partir »	Idée de mouvement	Idée d'« arriver »
....	....	l'immigration (immigrer)

- émigrer
- s'établir
- s'expatrier
- se faire expulser
- fuir
- se fixer
- s'intégrer

b. À partir de ce qui est dit dans le texte, critiquez les remarques suivantes :

- En France, nous ferons encore appel aux immigrés parce que les français ne seront pas assez nombreux.
- Des étrangers sans qualifications vont continuer à venir en France.
- On accueillera aussi beaucoup de réfugiés politiques.
- De nombreux immigrés viendront et s'installeront définitivement.

Perspectives de l'immigration
DES MIGRATIONS, PAS DES INVASIONS

En réalité, depuis une dizaine d'années, le flux d'immigration a tourné autour de 70 000 à 100 000 arrivées, et il est difficile de comptabiliser les départs. Je pense qu'on fera de nouveau appel à l'immigration – sûrement pas pour des raisons démographiques – si l'économie repart. [...].

Il y a trois sortes d'immigrés.

1. L'essentiel de ceux qu'on a vus affluer dans les pays européens au XXe siècle étaient issus des classes moyennes et s'exilaient pour remonter dans l'échelle sociale : c'étaient des paysans en voie de paupérisation, par exemple les Italiens, les Polonais, les Marocains – et même les Sénégalais aujourd'hui. Cette immigration-là va se tarir, car on n'a plus besoin d'elle et on la contraint à la clandestinité.

2. Les très pauvres, issus du tiers-monde, malmenés par les conflits politiques et les guerres civiles, vont espérer venir. Le nombre de réfugiés a été multiplié par 15 : ils étaient 1,5 million en 1965, ils sont 20 millions aujourd'hui. Mais ces gens-là ne débarqueront pas en Europe, faute de moyens, faute de réseaux.

3. D'ici à trente ans, je parierais que les flux resteront stables et que l'immigration sera largement constituée de travailleurs qualifiés et mobiles venus d'autres pays développés. Et, bien sûr, il restera des survivants des vagues actuelles : des Turcs en Allemagne, des Algériens en France.

Pour conclure, il y aura peut-être à cette époque 2,5 millions d'étrangers, au sens strict, en France.

Jacqueline Rémy, *L'Express*, 2 janvier 1997.

4 Les études

a. Complétez avec un verbe de la liste au passé composé.

Brillantes études.

Née en 1970, Ariane ... son bac à 17 ans. Ensuite, elle est restée au lycée de Tours où elle ... le concours d'entrée à l'École centrale de Paris, une grande école qui ... des ingénieurs de haut niveau. Pour cette préparation, elle ... des cours spéciaux pendant deux ans.

Elle ... pour la première fois au concours en 1989 mais elle a échoué. L'année suivante, elle a réussi brillamment puisqu'elle ... dixième à l'École centrale.

Pendant ses années préparatoires et ses trois années à Centrale elle ... des études universitaires. En 1994, elle ... troisième de l'École et ... le Commissariat à l'énergie atomique.

En 1996, elle ... brillamment une thèse.

- entrer
- former
- intégrer
- passer
- poursuivre
- préparer
- se présenter
- sortir
- soutenir
- suivre

b. À partir des informations ci-dessus, rédigez le passage du curriculum vitae d'Ariane consacré à ses études.

1987 – Baccalauréat

1988 et 1989 ...

5 Les mots de l'éducation

a. Classez les objets, les personnes, les pratiques de la liste ci-contre selon qu'ils appartiennent à une conception moderne ou ancienne de l'éducation. Indiquez l'évolution qui s'est produite comme dans l'exemple.

Conception ancienne de l'éducation	Conception moderne de l'éducation
le manuel (ou livre) unique	→ diversification des documents – documents multimédias

1. le manuel (ou livre) unique
2. l'apprentissage par cœur
3. le classeur des élèves
4. le contrôle continu
5. le cours magistral
6. le conseil de classe
7. le délégué de classe
8. l'examen de passage en classe supérieure
9. la sortie éducative
10. le surveillant général
11. le travail de groupe
12. l'uniforme (ou la blouse)

b. Lisez le texte ci-contre sur le projet d'établissement (P.E.). Dites si les phrases suivantes sont vraies ou fausses.

1. Le P.E. est conçu par l'établissement scolaire et le ministère de l'Éducation nationale.
2. Le P.E. peut prévoir l'enseignement d'une langue régionale.
3. Le P.E. précise les relations entre l'établissement et le marché du travail de la région.
4. Le P.E. se contente d'organiser des activités en plus des heures normales de cours.
5. Le P.E. indique les méthodes d'enseignement utilisées dans l'établissement.
6. Le P.E. doit concilier les initiatives locales avec les instructions officielles.

Le projet d'établissement.

Plutôt conçu au départ comme un catalogue d'actions complémentaires venant s'ajouter à un enseignement inchangé, le projet d'établissement tend aujourd'hui à planifier et à programmer la politique que l'établissement entend suivre sur une période moyenne de trois à cinq ans. Ce projet concerne donc non seulement les domaines qui relèvent de la responsabilité propre de l'EPLE[1] (la répartition des élèves en classes et en groupes, l'utilisation des moyens d'enseignement, l'organisation du temps et de la vie scolaires, l'orientation et l'insertion professionnelle, la formation continue des jeunes et des adultes, l'ouverture de l'établissement sur l'environnement local, des sujets d'études complémentaires aux programmes nationaux, l'action éducative), mais également ceux qui relèvent en principe de l'autorité centrale, par la définition des moyens et des méthodes jugés les plus appropriés pour mettre en œuvre les normes pédagogiques nationales.

Les Écoles de la République (Collectif), Eclectics, 1993.

1. Établissement public local d'enseignement.

GRAMMAIRE

6 L'expression de l'opposition

Complétez chaque enchaînement de phrases en choisissant parmi les mots entre parenthèses.

Les gens sont bizarres.

Daniel est au chômage.
..., il vient de s'acheter une nouvelle voiture et un nouveau salon.
..., il avait des économies.
... normalement, il n'aurait pas dû les dépenser.
... les petits boulots qu'il fait au noir lui rapportent pas mal d'argent.
(Encore que – Certes – Mais – Or)

Lisa n'est pas une fille sportive.
... elle adore jardiner pendant les week-ends.
..., le week-end dernier, je l'ai vue au stade pour la Coupe de France de football.
... assister à un match ne soit pas une activité à proprement parler sportive.
(En revanche – Encore que – Pourtant)

Grégory déteste la musique classique.
... sa femme Clémence l'adore.
Ils ne vont jamais au concert ensemble.
... je les ai vus une fois ensemble à l'opéra.
... ils se disputent chaque fois que l'un d'eux achète un disque.
(Par contre – Il n'en reste pas moins que – Néanmoins)

Thomas aime beaucoup la musique rock
... il n'aime pas beaucoup danser.
..., je l'ai vu faire une exception le jour du mariage de son frère.
..., il n'a dansé que des slows.
... c'est la première fois que je le voyais danser.
(Certes – Mais – Toutefois)

7 Expression de la concession

Complétez en utilisant les expressions de la liste.

- avoir beau
- bien que
- en dépit de
- malgré
- même si
- quand même
- quoique

Les Français, les loisirs et la culture.

Cinéma : ... les Français fréquentent moins le cinéma que dans les années soixante, ils sont encore 49 % à y aller au moins une fois par an.

Musique : ... faible développement des études musicales, beaucoup de Français pratiquent un instrument ou font partie d'une chorale.

Livres : ... 91 % des Français lisent au moins un livre par an, ils passent neuf fois plus de temps devant un écran de télévision ou d'ordinateur que devant un livre.
Le nombre de livres vendus diminue,... le nombre de titres édités augmente.

Écriture : La communication ... être très en vogue, les Français écrivent de moins en moins de lettres.

Radio : ... de la forte audience de la télévision (3 h 20 par jour et par personne,) la radio reste un média très populaire (2 heures par jour).

Sport : On dit que les Français ne sont pas sportifs. Il faut remarquer que les deux tiers d'entre eux pratiquent ... un sport.

8 Les expressions *tout … que, si … que, aussi … que*

Reformulez les phrases précédées d'un tiret en utilisant les constructions du tableau.

Lorsque la concession porte sur un adjectif (ou un nom à valeur d'adjectif) elle peut s'exprimer avec les formes suivantes :
Tout diplômé **qu'**il est (qu'il soit)
Si intelligent **qu'**il paraisse
Aussi compétent **soit-il**
} Pierre n'obtiendra pas le poste qu'il a demandé

Commérages à propos des voisins.

- Ils paraissent riches.
- Ils ont acheté leur voiture à crédit.
- Elle est artiste.
- Elle ne vend jamais de tableaux.
- Il est chef d'entreprise.
- Il n'a qu'un seul employé.
- Leurs enfants sont aidés.
- Ils font des études médiocres.

9 La généralisation des circonstances

Les expressions de la liste permettent de généraliser les circonstances d'un évènement (en disant que ces circonstances sont indifférentes). Utilisez-les pour compléter le texte ci-dessous.

- qui que...
- quoi que...
- où que...
- quel (quels, quelle, quelles) que...

Les Français et le mariage.

... l'on se trouve en France, environ un mariage sur trois célébré en 1997 se soldera par un divorce. Aussi ... en soient les raisons, le mariage est devenu une institution fragile. Pourtant, ... on puisse en dire, les couples ayant un enfant sont deux fois moins vulnérables que les couples sans enfants.

À ce propos, on constate que depuis 1992, ... soient le milieu et la catégorie socioprofessionnelle des parents, le tiers des premières naissances a lieu hors mariage.

Par ailleurs, pères divorcés ou séparés, ... vous soyez, sachez que ... vous fassiez, vous avez de faibles chances de voir grandir vos enfants !

74 % des enfants de divorcés ne voient jamais ou presque pas leur père. Ceci s'explique par le fait que ... vive la mère et ... soit sa situation, la plupart des enfants de couples séparés choisissent de vivre avec elle.

10 Mise en garde et conséquence négative

Imaginez une suite à ces mises en garde.

Exemple : À un garçon de 15 ans : « Cesse de fumer, *sinon* tu ne pourras plus t'arrêter. »

- À un automobiliste : « Roulez moins vite ! *Sans quoi* ... »
- À votre meilleure amie : « Sois plus indulgente avec ta belle-mère ! *Autrement* ... »
- Le professeur à un étudiant endormi : « Participez davantage ! *Dans le cas contraire* ... »
- À une collègue qui ne sort de chez elle que pour aller travailler : « ... *sinon* ... »
- À votre ami qui met trop d'épices dans les plats qu'il prépare : « ... *autrement* ... »
- À votre garagiste qui se plaint d'avoir de moins en moins de clients : « ... *dans le cas contraire,* ...»

ÉCRIT

11 La démonstration

a. Faites une rapide lecture du texte ci-dessous. Quel est le but de l'auteur ? Donnez un titre à l'article.

b. Faites la liste des différents domaines où les mathématiques sont importantes. Notez les exemples choisis par l'auteur.

1. physique et biologique → équation et théorème sont nécessaires aux lois scientifiques
2. informatique → ...

c. Regroupez et classez le vocabulaire des mathématiques et de la logique.

d. Ce texte répète souvent le même argument :

« Les mathématiques sont une discipline importante. »

Étudiez comment l'auteur a varié la présentation de cet argument :

→ par des noms qui indiquent l'importance : les mathématiques sont à la base de ...

→ par des verbes ...

→ par des constructions.

e. En quelques lignes, donnez votre opinion sur la démonstration de l'auteur.

Pythagore le pensait déjà : les mathématiques sont à la base de tout. Quelque 2 500 ans plus tard, elles constituent toujours le véritable sésame[1] d'un grand nombre de disciplines. Impossible de décrire la danse des électrons autour d'un noyau sans avoir recours à l'équation de Schrodinger. Et la théorie du Big Bang, à l'origine de la formation de la Terre, repose sur celle de la relativité générale d'Einstein. Que nos physiciens et biologistes en herbe[2] le sachent tout de suite, il est rigoureusement impossible de faire des sciences ... sans faire de maths ! Mais la grande nouveauté, c'est qu'avec l'évolution de notre société moderne, les mathématiques ont encore investi[3] de nouveaux champs de connaissance. L'informatique, tout comme l'automatisation, reposent sur une succession de raisonnements logiques. Une logique qui se révèle d'ailleurs souvent fort utile au quotidien, pour concevoir une ligne électrique, ranimer sa voiture qui refuse obstinément de démarrer ou encore jouer avec les différents logiciels de son ordinateur.

Plus étonnant encore, les maths ont également réussi leur percée dans les domaines des sciences humaines, psychologie et géographie notamment, où elles constituent un outil parfait pour l'interprétation des nombreuses données chiffrées. Désormais, elles dominent également l'économie ou la finance. Comment comprendre l'affaiblissement du franc de l'été dernier si on n'entend rien à un taux d'intérêt ? Et comment réfléchir sur le fameux débat concernant le vote à la proportionnelle[4] si on ignore ce que « proportion » veut dire ? Pour appréhender et juger les orientations politiques et économiques de ceux qui nous gouvernent, le citoyen d'aujourd'hui doit posséder de bonnes bases mathématiques. Et même les amateurs d'art ou de littérature ne peuvent rester insensibles aux maths ! Queneau, chef de file du mouvement l'Oulipo[5], utilisait des formules mathématiques pour construire ses jeux de langage. Dans son roman *La Vie mode d'emploi*, Pérec reprend les mouvements du cavalier aux échecs, pour passer en revue les différents personnages de l'immeuble où se situe l'action. Et Kandinsky ou Picasso, apôtres de l'art abstrait, n'ont-ils pas exprimé dans leurs toiles toute la sensibilité du triangle et du carré ?

Autre atout, plus pédagogique cette fois, les maths constituent indéniablement un formidable outil à la formation de l'esprit. Tout comme le latin ou la philosophie, elles imposent des raisonnements rigoureux, un développement logique, un esprit de synthèse qui conduisent tout droit sur les chemins de l'abstraction. Enfin, et nos enfants l'ignorent trop souvent, les maths peuvent aussi devenir une affaire de plaisir !

Christine Ducamp-Mayolle.
Profession parents, octobre 1993.

1. Forme magique qui permet d'accéder dans un lieu interdit. Ici, connaissance indispensable pour étudier d'autres disciplines. – **2.** Enfant. – **3.** Occuper, conquérir. – **4.** Système électoral où le nombre des députés à l'Assemblée est proportionnel au nombre de voix obtenues par leur parti ; s'oppose au système majoritaire. – **5.** Groupe d'écrivains qui mènent des recherches sur la création littéraire.

12 Développer une argumentation

a. **Lisez le commentaire de la photo, p. 93, puis l'article de Pierre-Gilles de Gennes. Trouvez les mots ou expressions dont voici les définitions.**

- Lignes 1 à 10 : qui est composé d'élèves de même niveau – lieu fermé qui n'accepte aucune influence extérieure (emploi figuré).
- Lignes 11 à 21 : monter les échelons de la hiérarchie professionnelle – c'est le contraire de ce qu'il faudrait faire.
- Lignes 22 à 30 : dépasser, passer par-dessus – ne plus faire d'efforts (à la suite d'un succès).
- Lignes 31 à 40 : tout prendre – monopole.
- Lignes 41 à 50 : matrice, modèle – produire (au sens propre : extraire un produit simple d'un produit complexe. Extraire de l'alcool à partir du jus de pomme) – changer en inversant – donner, accorder – association.
- Lignes 51 à 70 : itinéraire de formation (voie) – donner, accorder – créer.

b. **En complétant le schéma suivant, résumez l'argumentation de Pierre-Gilles de Gennes.**

- **Position du problème** (titre) : ...
- **Introduction** : ...
- **Première partie** : Idée développée → ...
  - argument (1) ...
  - argument (2) ...
- **Deuxième partie** : Idée développée → ...
  - argument (1) ...
  - etc.

Notez les mots ou expressions qui assurent l'enchaînement des arguments.

Exemple : « Mais » → passage à une idée contradictoire à l'introduction.
« La conséquence immédiate ? » → la relation de conséquence est formulée par une question.

c. **Il existe sans doute une institution, une règle, une loi, etc., que vous souhaiteriez pouvoir supprimer. Exposez vos idées dans un texte construit sur le même schéma que celui de Pierre-Gilles de Gennes.**

- **Introduction** → Rapide présentation des avantages de ce que vous souhaitez supprimer.

Exemple : Le mercredi, jour de vacances pour les écoles primaires et de nombreux collèges : il crée une coupure dans la semaine. Il permet de compléter l'éducation de l'enfant (éducation sportive, éducation religieuse, etc.).

- **Première partie** → Argumentation pour la suppression.

Exemple : La coupure du mercredi conduit à une démobilisation des élèves. Elle oblige à avoir des journées de travail très longues, etc.

- **Deuxième partie** → Examen des problèmes posés par la suppression et exposé des solutions.

Exemple : Si les enfants travaillaient cinq jours par semaine, les journées pourraient être plus courtes. La pratique des sports, l'éducation religieuse pourraient avoir lieu l'après-midi...

En France, l'université n'est pas la voie la plus prestigieuse et la plus sûre pour accéder aux postes importants du pays, qu'ils soient privés ou publics. La majorité des cadres supérieurs, des chefs d'entreprise, des haut fonctionnaires et des hommes politiques viennent des « grandes écoles ». La plupart de ces écoles sont publiques ; l'enseignement y est gratuit, mais elles se distinguent de l'université par un concours d'entrée très difficile qui ne sélectionne que les meilleurs. Voici les plus connues et les noms de quelques élèves devenus célèbres.

L'École polytechnique, qui a formé Valéry Giscard d'Estaing, président de la République de 1974 à 1981.

ENA (École nationale d'administration), dont les élèves sont appelés « énarques ».
Énarques ayant fait une brillante carrière politique : Jacques Chirac (premier ministre, puis président de la République élu en 1995) – Michel Rocard (Premier ministre de 1988 à 1991) – Lionel Jospin (ministre de 1988 à 1993, puis, Premier ministre en 1997).

HEC (École des hautes études commerciales), qui a formé Hervé de Charette (ministre des Affaires étrangères de 1995 à 1997).

L'École Centrale de Paris, qui a eu comme élèves Jean-Pierre et Robert Peugeot, constructeurs d'automobiles.

Polytechnique, ENA, HEC :
FAUT-IL SUPPRIMER LES GRANDES ÉCOLES ?

Les grandes écoles ont bien sûr des avantages : un groupe d'élèves homogène, un enseignement de qualité, des contacts constants avec le monde industriel et scientifique… Mais ce sont de véritables « chapelles » fermées sur elles-mêmes. L'énarque ou le polytechnicien sait aussi que, quoi qu'il arrive, son avenir est assuré : il fera carrière. La conséquence immédiate ? Les élèves relâchent leurs efforts dès leur intégration alors qu'ils devraient les redoubler. C'est vraiment le monde à l'envers, tout le contraire, en somme, de ce qui se passe aux États-Unis. Là-bas, le système éducatif est savamment gradué : l'étudiant fournit un travail de plus en plus important à mesure qu'il franchit les échelons successifs d'un cursus universitaire – ce qui paraît logique ! En revanche, chez nous, ce travail, l'élève d'une grande école l'a déjà fourni avant, notamment lors des deux années passées en classes préparatoires ! Une fois cet obstacle franchi, il est tenté, alors, de se reposer sur ses lauriers ...
Deuxième souci, les élèves des grandes écoles monopolisent les postes à responsabilités des grandes entreprises. Il est vrai qu'en embauchant un énarque ou un polytechnicien les entreprises savent où elles vont : elles n'auront pas de surprise. Mais cette mainmise conduit à une uniformisation de notre classe dirigeante, issue d'un moule qui distille une manière de pensée commune.
Pour renverser la vapeur, il faudrait donner aux universités les moyens de réussir. La première solution consisterait à leur octroyer beaucoup plus d'autonomie. Un partenariat avec les régions pourrait être une bonne chose. Les universités seraient alors à même de créer autant de filières qu'elles le souhaitent avec, toutefois, une obligation de résultat : les crédits qui leur seraient alloués devraient ainsi être proportionnels au nombre d'étudiants ayant trouvé un emploi. Il faudrait également instaurer une période de « sélection », de deux ou trois mois, qui servirait à tester les aptitudes des élèves dès leur entrée à l'université. Parallèlement, l'université devrait prévoir des filières courtes, spécialisées, pour les jeunes bacheliers qui n'ont pas de vocation pour se lancer dans des études supérieures. Tant que l'université sera tenue d'accepter n'importe qui, elle restera paralysée.

Pierre-Gilles de Gennes,
Ça m'intéresse, mai 1995.

LITTÉRATURE

13 Étude de mœurs

Dans Vipère au poing, *Hervé Bazin raconte son enfance dans une famille bourgeoise de province (région de Nantes). Ses parents, M. et Mme Rezeau, font éduquer leurs trois garçons chez eux par un précepteur religieux.*

Le 27 novembre 1924, la loi nous fut donnée.

Cropette, galopant à travers les couloirs, Cropette, héraut de madame mère, criait :

« Tout le monde en bas, dans la salle à manger ! »

La cloche sonnait, au surplus.

« Que peut-on nous vouloir à cette heure-ci ? Nous sommes en récréation », bougonna Frédie, en se mouchant violemment à gauche.

Pas question de faire attendre Mme Rezeau. Nous dégringolâmes l'escalier sur la rampe. Dans la salle à manger, l'aréopage était complet. Papa occupait le centre. Notre mère tenait sa droite et le révérend fumait la pipe, à sa gauche. Au bas bout de la table était plantée, toute raide, Mlle Lion. À l'autre, Alphonsine.

« Non, mais vous allez vous presser, tous les deux ! » glapit Mme Rezeau.

Papa étendit une main solennelle et commença à débiter sa leçon :

« Mes enfants, nous vous avons réunis pour vous faire connaître nos décisions en ce qui concerne l'organisation et l'horaire de vos études. La période d'installation est terminée. Nous exigeons maintenant de l'ordre. »

Il reprit son souffle, ce dont sa femme profita immédiatement pour lancer à l'adresse de nos silences un retentissant :

« Et tâchez de vous taire !

– Vous vous lèverez tous les matins à cinq heures, reprenait mon père. Vous ferez aussitôt votre lit, vous vous laverez, puis vous vous rendrez à la chapelle pour entendre la messe du père Trubel, que vous servirez à tour de rôle. Après votre action de grâces, vous irez apprendre vos leçons dans l'ex-chambre de ma sœur Gabrielle, transformée en salle d'étude, parce qu'elle est contiguë à celle du père, qui aura ainsi toutes facilités pour vous surveiller. À huit heures, vous déjeunerez …

– À ce propos, Mademoiselle, coupa madame mère, je précise que ces enfants ne prendront plus

a. Lisez le texte. Résumez en une phrase le sujet de cette scène. Trouvez les mots correspondants aux définitions suivantes :

Ligne 1 à 10
- quand un cheval prend une allure rapide
- de plus, de surcroît
- parler comme pour soi en exprimant son mécontentement
- descendre rapidement

Ligne 11 à 20
- tribunal de juges (allusion à un tribunal de l'Antiquité grecque)
- titre donné à un prêtre
- parler d'une voix aiguë

Ligne 21 à 40
- à l'intention de…
- sonore, bruyant
- remerciements adressés à Dieu
- être à côté de

Lignes 51 à 60
- maladie intestinale
- faire faire des boucles aux cheveux ou à la moustache

Lignes 61 à 70
- arrivez quelque part sans l'avoir voulu
- sortir avec difficulté
- poison
- mimique de mécontentement
- mourir

Lignes 71 à 82
- habituer aux dangers et aux intempéries
- le fait de dire « non »

b. Faites la liste des différents personnages qui apparaissent dans cette scène. Indiquez (sous forme d'hypothèses quand ce n'est pas précisé dans le texte) leur identité et leur fonction.

Cropette : probablement un enfant (« galopant … ») ; frère du narrateur ou jeune domestique (?).

c. Notez, comme ci-dessous, les détails de l'emploi du temps imposé aux enfants.

5 h 00 : Lever …

désormais de café au lait, mais de la soupe. C'est plus sain. Vous pourrez donner un peu de lait à Marcel, qui a de l'entérite.

– Après le petit déjeuner, une demi-heure de récréation…

– En silence ! coupa Mme Rezeau.

– Votre mère veut dire : sans faire trop de bruit, pour ne pas la réveiller, soupira M. Rezeau. Vous reprendrez le travail à neuf heures. Récitations, cours, devoirs, avec un quart d'heure d'entracte aux alentours de dix heures, cela vous amènera jusqu'au déjeuner. Au premier son de la cloche, vous allez vous laver les mains. Au second coup, vous entrez dans la salle à manger. »

M. Rezeau se frisa longuement les moustaches d'un air satisfait. Il regardait fixement devant lui, dans la direction des chrysanthèmes, disposés […] au milieu de la table. Sa main partit d'un coup sec. La mouche capturée, il l'examina longuement.

« Curieux ! fit-il. Je me demande comment cette *Polyphena* peut avoir échoué ici. Enfin, elle est de bonne prise. »

Aussitôt, il extirpa de la poche quatre (en bas, à droite) de son gilet le tube de verre dont le fond était garni de cyanure de potassium et que nous commencions à bien connaître. Ma mère fronça les sourcils, mais ne dit rien. Elle respectait la science. Papa reprit tranquillement, tandis que périssait la *Polyphena* :

« Nous vous accordons, après le déjeuner, une heure de récréation, qui pourra être supprimée, par punition. Vous devez obligatoirement jouer dehors, sauf s'il pleut.

– Mais s'il fait froid ? hasarda Mademoiselle.

– Rien de meilleur pour les aguerrir, rétorqua madame mère. Je suis pour une éducation forte. Alphonsine est de mon avis, j'en suis sûre. »

À tout hasard, la sourde et muette, reconnaissant son nom sur les lèvres de la patronne, fit un geste de dénégation.

« Vous voyez, elle ne veut pas non plus qu'on les élève dans une boîte à coton. »

Hervé Bazin, *Vipère au poing*, Grasset, 1948.

Imaginez la suite de cet emploi du temps (après-midi et soirée).

d. Caractérisez l'éducation que madame Rezeau donne à ses enfants. Quelles sont d'après vous les conséquences positives et les conséquences négatives de ce type d'éducation. Commentez le type d'éducation suggéré par la photo.

e. Notez tout ce que vous apprenez :

- sur la personnalité de madame et de monsieur Rezeau ;
- sur les sentiments que l'auteur éprouve pour sa mère et pour son père.

f. Dans les vingt premières lignes, recherchez des exemples de ce qui fait l'humour de la scène.

- l'organisation de la scène ;
- les détails descriptifs originaux ;
- la façon parodique de dire certaines choses ;
- les emplois imagés.

UNITÉ 10

VOCABULAIRE

1 La politesse

a. Voici, dans le désordre, les résultats d'un sondage sur les actes que les Français considèrent comme impolis. Classez ces actes du plus au moins impoli. Comparez votre classement avec les résultats du sondage.

a. Utiliser des mots grossiers en public.
b. Cracher dans la rue.
c. Tutoyer quelqu'un qu'on vient de vous présenter.
d. Entrer dans une pièce sans dire bonjour.
e. Passer devant quelqu'un dans une queue.
f. Ne pas dire merci quand on reçoit quelque chose.
g. Couper la parole à quelqu'un.
h. Ne pas céder sa place à une personne âgée dans un autobus.
i. Fumer sans demander si cela dérange.
j. Téléphoner après 10 heures du soir à quelqu'un qu'on ne connaît pas bien.
k. Arriver une demi-heure en retard à un rendez-vous.
l. Prendre la place de parking qu'un autre automobiliste s'apprêtait à prendre.

Réponses au sondage. Du plus impoli au moins impoli :
d – f – b – h – g – i – a – e – k – j – l – c

b. À l'aide des phrases des deux colonnes, retrouvez ce que se disent A et B dans les circonstances suivantes.

1. A fait un faux numéro de téléphone et tombe sur B.
2. A marche sur les pieds de B.
3. A et B attendent l'ascenseur. L'ascenseur arrive. A s'efface pour laisser B entrer.
4. A se fraye un passage dans le couloir du train bondé. B se pousse pour le laisser passer.
5. Dans le train, B aide A à mettre sa valise dans le filet.
6. Dans le train, A s'est assis à la place que B avait réservée.

Phrases dites par A	Phrases dites par B
Après vous.	Allez-y.
Merci beaucoup.	Je vous en prie.
Excusez-moi.	Il n'y a pas de quoi.
Je vous prie de m'excuser.	Il n'y a pas de mal.
Je vous en prie.	Vous faites erreur.
Pardon.	Pardon.
Je ne l'ai pas fait exprès.	Merci.
Je me suis trompé (J'ai fait erreur).	Ce n'est pas grave.
	Ça arrive.

2 Politiquement correct

Certains estiment que les contes traditionnels ne sont plus conformes aux valeurs morales actuelles. .-F. Garner s'est amusé à réécrire l'un des plus connus afin qu'il soit « politiquement correct ».

1. Comparez les 7 premières lignes du conte de Perrault (XVIIe siècle) **avec son adaptation moderne. Notez et expliquez les suppressions, les ajouts, les modifications, les remarques.**

Exemple : une petite fille de village → une jeune personne : le fait d'être d'un village peut être dévalorisant – le terme de « petite fille » infantilise la personne, etc.

). Imaginez une adaptation de la fin de l'extrait du conte de Perrault.

Le Petit Chaperon rouge

Version de Charles Perrault (1697)

Il était une fois une petite fille de Village, la plus jolie qu'on eût su voir ; sa mère en était folle, et sa grand-mère plus folle encore. Cette bonne femme[1] lui fit faire un petit chaperon[2] rouge, qui lui seyait[3] si bien, que partout on l'appelait le Petit Chaperon rouge.

Un jour sa mère, ayant cuit et fait des galettes, lui dit : « Va voir comme se porte ta mère-grand, car on m'a dit qu'elle était malade, porte-lui une galette et ce petit pot de beurre. » Le Petit Chaperon rouge partit aussitôt pour aller chez sa mère-grand, qui demeurait dans un autre Village. En passant dans un bois elle rencontra compère[4] le Loup, qui eut bien envie de la manger ; mais il n'osa, à cause de quelques Bûcherons qui étaient dans la Forêt. Il lui demanda où elle allait ; la pauvre enfant, qui ne savait pas qu'il est dangereux de s'arrêter à écouter un Loup, lui dit : « Je vais voir ma Mère-grand, et lui porter une galette avec un petit pot de beurre que ma Mère lui envoie.

– Demeure-t-elle bien loin ? lui dit le Loup.

– Oh ! Oui, dit le Petit Chaperon rouge, c'est par-delà le moulin. »

Perrault, *Contes*, 1697.

Version politiquement correcte (1995)

Il était une fois une jeune personne, appelée le Petit Chaperon Rouge, qui vivait avec sa mère à la lisière d'un grand bois. Un jour, sa mère lui demanda d'aller porter à sa grand-mère une corbeille de fruits frais et de l'eau minérale – encore une tâche réservée aux femmes, direz-vous ? Eh bien non, c'était tout simplement une démarche généreuse – pourquoi le Petit Chaperon Rouge n'aurait-elle pas eu elle aussi le sens de la communauté ? Qui plus est, sa grand-mère, loin d'être malade ou gâteuse, était une adulte rayonnante de maturité et parfaitement capable de prendre soin d'elle-même.

J.-F. Garner, *Politiquement correct* (traduction par Daniel Depland), Grasset, 1995.

. Gentille. – **2.** Un capuchon. – **3.** Aller bien. – **4.** Ici, le loup est considéré comme une personne.

. Voici un extrait du discours d'un homme politique débutant. En remplaçant les mots soulignés par des mots de la liste, transformez-le en discours politiquement correct.

Parlons maintenant de la province…

)ans nos villages, les paysans vivent de réelles difficultés. Dans les villes, les cenciements sont à l'origine de nombreuses situations de pauvreté.

a plupart des gens ne comprennent plus les politiciens. Ils ne comprennent plus les ésaccords qu'il y a dans notre parti. Ils pensent que la solution au chômage consiste expulser les immigrés clandestins. »

- une petite agglomération
- la classe politique
- une compression de personnel
- nos compatriotes
- un exploitant agricole
- la précarité
- les régions
- reconduire à la frontière
- une sensibilité différente
- en situation irrégulière

3 Élégance et courtoisie

Anne-Sophie n'a pas de chance. Les hommes qu'elle rencontre ne correspondent pas à ses rêves. Complétez en choisissant dans la liste le contraire des mots en italique.

Je cherche un homme *raffiné* et *bien élevé*. Jusqu'à présent, je ne suis tombée que sur des ... qui sont ... .

Je voudrais trouver quelqu'un qui soit *agréable en société* et *à l'aise dans toutes les situations* et non pas des ... qui sont ... .

J'aime les hommes *gais* et qui *racontent des histoires correctes* et non pas les hommes ... et ... .

Mon type, ce sont les hommes ..., ... et ..., et pas ceux qui sont *froids, indiscrets* et *qui me traitent sans égards*. Je déteste ceux qui sont *snobs* et *maniérés*. Je voudrais trouver quelqu'un de ... qui se comporte ... .

- accueillant
- courtois
- discret
- gaffeur
- grivois
- grognon
- misanthrope
- naturel
- rustre
- sans affectation
- sans éducation

4 Les supports de la communication écrite

Que faites-vous dans les circonstances suivantes? Formulez votre réponse comme dans l'exemple en utilisant le vocabulaire du tableau.

Exemple : 1. J'envoie des faire-part de mariage.

Vous voulez...

1. annoncer à vos amis que vous vous mariez.
2. avoir la preuve que la lettre que vous envoyez a bien été reçue.
3. faire connaître l'opinion de votre syndicat à tous vos collègues.
4. trouver un acheteur pour votre maison.
5. saluer un ami que vous n'avez pas vu depuis quelque temps.
6. faire savoir au maire de votre ville que tous les habitants de votre quartier sont mécontents du nettoyage des rues.
7. envoyer rapidement un rapport à une personne qui possède un ordinateur.
8. faire une commande rapidement.

- *coller*
- *distribuer*
- *envoyer*
- *faire*
- *faire passer*
- *faire signer*
- *fixer*
- *insérer*

- *une affichette*
- *une annonce*
- *un courrier électronique*
- *un carton*
- *un faire-part*
- *une lettre (de confirmation)*
- *un message*
- *un petit mot*
- *une pétition*
- *un pli recommandé*
- *un panneau*
- *une télécopie*
- *un tract*

5 Le savoir-vivre

a. **Lisez l'anecdote ci-contre. Complétez-la avec les mots suivants.**

■ bonnes manières ■ règle ■ carton d'invitation ■ convives ■ bienséance

b. **Trouvez dans le texte une expression qui pourrait lui servir de titre.**

c. **Réécrivez ce texte en inversant la situation. Un « grand de ce monde » fait une faute de savoir-vivre dans un milieu populaire.**

« C'était il y a quelques années dans un immeuble d'une cité de Sarcelles. Lucien régalait ses copains d'une choucroute... »

C'était il y a quelques années, dans l'hôtel particulier des Rothschild[1], tout près du palais de l'Élysée. Ce soir-là, Nadine reçoit à dîner une poignée de grands du monde. Comme le veut la ..., la baronne a envoyé, quinze jours auparavant, un ... écrit à la main pour indiquer le lieu, la date et l'heure du dîner. Le tout assorti de la mention « cravate noire ». Les invités arrivent un à un, avec une dizaine de minutes de retard – c'est la ... . Les hommes sont en smoking, les femmes en robe de soirée. Un des ..., livide, s'aperçoit, mais un peu tard, d'une terrible méprise. Lui seul porte un costume gris sombre, une chemise blanche et une cravate noire. La mention inscrite sur le carton d'invitation ne devait pas être prise au pied de la lettre, elle signifiait « smoking ».

« Même si personne n'a fait de réflexion, il était très gêné et parfaitement ridicule, raconte aujourd'hui Nadine de Rothschild. *Que voulez-vous, c'était l'un des plus importants industriels du pays. Mais bon, ce n'était pas vraiment sa faute, ce n'est pas aux hommes de connaître les ... sur le bout des doigts, c'est à leur femme. »*

Le Cahier samedi du Nouvel Économiste, février 1996.

1. Les Rothschild sont une ancienne famille réputée pour être riche ; Nadine de Rothschild a écrit un livre sur les bonnes manières.

GRAMMAIRE

6 La construction passive

Reformulez les phrases suivantes en commençant par les mots soulignés.

Exemple : Vous serez conduits dans un moment…

Un professeur accueille un groupe d'étudiants étrangers venus en France étudier la littérature.

« Dans un moment on <u>vous</u> conduira à la cité universitaire où vous logerez. Puis, vous visiterez l'université. C'est madame Dubois qui <u>vous</u> guidera pour cette visite. Cet après-midi, la municipalité <u>nous</u> accueillera pour un pot de bienvenue.

Le professeur Schmit <u>m</u>'a mis au courant du programme que vous avez traité l'an dernier. Bien entendu, nous étudierons <u>des auteurs différents</u> au cours de ce stage. On vous communiquera demain <u>une bibliographie complète</u> sur les ouvrages au programme. Mais madame Reynaud la bibliothécaire <u>vous</u> conseillera également.

On donnera <u>les cours</u> le matin. On consacrera <u>les après-midi</u> à des activités culturelles et récréatives. »

7 La personne qui fait l'action

Complétez avec *de* ou *par*.

Une personne âgée parle.

« Hier, je suis allée à un repas offert … la municipalité aux personnes âgées. Comme chaque année, ce repas était préparé … un traiteur de renom. C'était très bon. Les tranches de foie gras étaient accompagnées … petites brioches chaudes. Les vins nous ont été servis … un sommelier. Le plateau de fromages était décoré … noix et … feuilles de vignes. Pour le dessert, nous avons eu un gâteau nappé … chocolat et une glace réalisée … le plus grand glacier de la ville. »

8 Les formes impersonnelles

a. Reformulez ce bulletin météo en employant des formes impersonnelles.

Exemple : Il fera chaud pour la saison…

Prévision pour la journée du 1er octobre.

Température élevée pour la saison (20°) sur le Bassin méditerranéen.

Soleil sur la Corse et la Côte d'Azur.

Pluies fines sur le Bassin parisien et la Champagne.

Ciel gris sur le reste du pays.

Vents violents sur la Manche.

Premiers flocons de neige dans les Alpes au-dessus de 1 500 mètres.

b. Reformulez les phrases entre crochets en utilisant le verbe en italique à la forme impersonnelle.

Exemple : Il m'arrive de gagner.

- Je vois que tu joues beaucoup. Tu gagnes souvent ?
- [Je gagne parfois]. (*arriver*)
- Et à quoi tu joues ?
- [Ce ne sont pas les jeux qui manquent]. (*exister*) Mais c'est le Loto que je préfère.
- C'est difficile de jouer ?
- Non. [Tu coches des numéros, c'est tout]. (*suffire*)
- [Récemment, tu as gagné ?]. (*arriver*)
- Non, [mais la dernière fois j'ai eu tous les numéros sauf un]. (*manquer*)
- [Ce serait peut-être mieux d'arrêter]. (*valoir mieux*)
- Pas question. [Les miracles arrivent quelquefois]. (*se produire*) Et si je veux faire fortune [je n'ai pas beaucoup d'autres solutions]. (*rester*)

9 La forme pronominale à sens passif

Reformulez les phrases suivantes en employant le verbe entre parenthèses.

Exemple : 1. Cette année les robes et jupes se portent plus courtes.

Tendance de la mode.

1. Cette année, les femmes mettent des jupes et des robes plus courtes. (*se porter*)
2. L'élégance a tendance à disparaître au profit d'une mode plus sport. (*se perdre*)
3. On remarque de plus en plus de personnes en vêtements de jogging même en dehors des activités sportives. (*se répandre*)
4. On achète beaucoup de vêtements en tissu synthétique et aux couleurs vives. (*se vendre*)
5. Les jeunes adorent les couleurs fluo ; elles sont très branchées. (*se faire*)
6. Avec l'arrivée des beaux jours, les femmes portent des vêtements plus légers et montrent davantage leur corps. (*se découvrir*)

10 Le discours rapporté

Charles téléphone à Valérie mais la communication est mauvaise.
Chacun demande à l'autre de répéter ce qu'il vient de dire.
Rédigez ces phrases de répétition en utilisant les verbes « demander » et « dire ».

CHARLES : Allô ! Valérie ?

VALÉRIE : Oui.

CHARLES : Tu as reçu l'invitatic Sophie ?

VALÉRIE : Excuse-moi, je ne t'entends pas bien.

CHARLES : *Je te demandais si* ...

VALÉRIE : Ah oui, je l'ai reçue et j'ai décidé d'y aller. Tu iras toi aussi ?

CHARLES : Attends, ma ligne grésille. Je n'ai pas bien saisi ce que tu m'as dit.

VALÉRIE : ...

CHARLES : Ben oui, bien sûr que j'y vais.

VALÉRIE : 20 ans, c'est important. Que penses-tu de lui faire un petit cadeau ?

[La communication est coupée. Charles rappelle.]

CHARLES : On a été coupés. Qu'est-ce que tu me disais ?

VALÉRIE : ...

CHARLES : Je pense que c'est une bonne idée. Je vais m'en charger. J'achèterai des fleurs.

VALÉRIE : Attends. Il y a de la friture sur ma ligne[1]. Tu peux répéter ?

CHARLES : ...

VALÉRIE : J'ai entendu Sophie dire qu'elle n'aimait pas les fleurs. Achète plutôt une belle affiche ! Elle adore ça. Va à la galerie Vaugirard ! Ils en ont de très belles.

CHARLES : Décidément. Cette communication est de plus en plus mauvaise. J'entendais d'autres personnes sur la ligne. J'ai rien compris à ce que tu m'as dit. Le mieux, c'est qu'on raccroche et que ce soit toi qui rappelles.

[Ils raccrochent et Valérie rappelle.]

VALÉRIE : Donc, je t'ai dit que ...

CHARLES : Oui, mais quelle sorte d'affiche tu veux que j'achète ?

VALÉRIE : Pardon ? J'ai pas entendu ce que tu m'as dit. On sonnait à ma porte.

CHARLES : ...

---

1. Se dit quand la ligne téléphonique fait entendre des grésillements.

11 Faire des recommandations

POLLUTION AUTOMOBILE

Comment sortir de l'impasse

« *Dans cinquante ans, l'hydrogène produit grâce à des cellules solaires sera la principale source d'énergie de nos voitures qui ne pollueront plus* », affirme le responsable de l'environnement chez Mercedes-Benz dans une récente interview au magazine suédois *To morrow*. Périodiquement, on nous promet des technologies révolutionnaires capables de produire des voitures plus propres, plus silencieuses, plus économiques. Or, il n'en est rien : le moteur à explosion classique, alimenté par des hydrocarbures polluants, ne s'est jamais si bien porté.

Pour qu'une quelconque avancée soit réalisée dans ce domaine, il conviendrait d'intensifier la recherche sur les nouvelles motorisations. Sur un chiffre d'affaires de 184 milliards de francs, Renault a consacré en 1995 moins d'un milliard à la recherche sur les alternatives au moteur. Mais pour que les constructeurs soient vraiment partie prenante, il faudrait que les acheteurs donnent quelques signes d'encouragement. Or, le marché boude la voiture électrique (quelques dizaines de véhicules vendus à des particuliers en 1996) et ne semble pas intéressé par les voitures à faible consommation qui sont très chères à l'achat et peu confortables.

La seule solution qui puisse nous faire sortir de ce cercle vicieux réside dans l'intervention des pouvoirs publics.

D'abord, il est impératif que l'État cesse de considérer l'automobile comme une source de rentrées fiscales pour la considérer comme un moyen de transport non polluant dans lequel il faut investir.

Ensuite, il serait souhaitable qu'une réglementation internationale oblige les constructeurs à fabriquer des modèles économiques.

Enfin, une vaste campagne d'information doit être entreprise pour sensibiliser les populations aux problèmes causés par la pollution atmosphérique. Il serait nécessaire que tous ceux qui ont dans le pays un pouvoir d'information et de formation puissent s'y associer.

Source *Ça m'intéresse*, avril 1997.

a. Compréhension de l'article.

- **Résumez en deux courtes phrases l'idée développée dans le premier paragraphe.**

« ... Toutefois, ... »

- **À quel propos l'auteur fait-il des recommandations ? Faites la liste de ces recommandations.**

« Intensifier... »

Relevez les expressions qui permettent d'introduire les recommandations.

b. Rédaction de conseils et de recommandations.

Une amie qui parle bien votre langue vient travailler dans votre pays pendant l'été. Elle vous demande conseil sur les comportements à adopter, les erreurs à éviter, etc.

Imaginez une situation professionnelle précise (serveuse dans un restaurant, hôtesse dans un syndicat d'initiative, vendeuse dans un magasin, etc.) et rédigez ces recommandations.

Utilisez librement les formes impersonnelles (*Il est conseillé de... Il est souhaitable que...*) ainsi que les formes pronominales à sens passif (*le marchandage se pratique quelquefois quand...*).

12 Raisonnement par l'absurde

RIS ET TAIS-TOI !

Il est important de rire, mais il est aussi important de ne pas rire. Une société où l'on nous oblige à nous amuser est encore plus assommante qu'une société où on nous prive de le faire. Si on se soucie tellement de nous distraire, n'est-ce pas parce que nous sommes malheureux et que nous ne devrions pas l'être ? Il semblerait que désormais l'humour passe avant l'intelligence, le courage, la culture ou encore la gentillesse. L'essentiel est de faire rire, même si on fait de la peine – et il faut rire, même si on nous fait du chagrin. On ne s'excuse pas, on s'esclaffe. On ne discute pas, on blague. On ne réfléchit pas, on concocte des bons mots. La France, plus grand consommateur de neuroleptiques au monde, est un pays où on rigole. [...]. On nous fait rire pour nous désarmer, et ce n'est pas prudent d'être sans armes, surtout en temps de paix. Ce n'est pas un hasard si, quel que soit le gouvernement en place, il n'y a aucun comique dans la subversion. Les terroristes ne sont pas drôles, et les syndicalistes non plus d'ailleurs. Pour se moquer du monde, il faut être au-dessus de lui, pas au-dessous. Le comique a besoin d'un promontoire. Il en a trouvé un avec l'écran de télévision. La plupart des gens, quand ils rencontrent des vedettes de télévision, les trouvent petites parce qu'ils les avaient imaginées grandes. On croit que le comique se moque du gouvernement, ce qui lui donne un vernis de démocrate, voire même d'opposant.

Mais en se moquant du gouvernement, et d'une façon générale de toute la classe politique, c'est des électeurs qu'il se moque, et donc de la démocratie. Le rire, en tant que dictateur, est l'ami naturel des dictatures. [...]. Le but des comiques est de nous faire mourir de rire, c'est-à-dire mourir. D'ailleurs, on se plie de rire, comme quand on a reçu une balle dans le ventre. On se tord de rire comme sous la torture. On s'étouffe de rire, comme une vieille fermière étouffée sous un oreiller avant de se faire voler toutes ses économies [...].

Vous avez eu peur, hein ? Mais non, c'était pour rire ! Évidemment qu'il faut faire rire, et le plus souvent possible. D'abord, il faut rire de soi. C'est dans le fond beaucoup plus détendant que de rire des autres. Car nous n'avons pas de pire ennemi que nous-mêmes et il est bon pour la santé de rire de son pire ennemi. Ah oui, nous sommes la plupart du temps extraordinairement ridicules et c'est un spectacle dont nous aurions tort de nous réjouir. En nous moquant de nous-mêmes, nous nous moquons de nos souffrances, qui tiennent trop de place dans notre vie. Nous nous éloignons de nous et nous nous rapprochons des autres, qui sont bien ridicules eux aussi. En riant les uns avec les autres, nous enlevons au comique cette tâche fort lucrative qui consiste pour lui, en se moquant de nos maîtres, à se moquer de nous. Et puis, il y a Aristophane, Molière, Gogol, Guitry, [...]. Tout génie est un libérateur, même s'il est drôle. Il ouvre notre esprit, puis il le forme, l'enrichit, et enfin le réjouit. Ne sentez-vous pas que vous êtes mieux après une comédie de Shakespeare ou de Wilde qu'après un spectacle de Muriel Robin ou de Pierre Palmade[1] ? C'est que le rire d'un génie nous inonde alors que celui d'un comique nous dessèche [...].

Et notre drame – peut-être même la cause de cette gigantesque et monstrueuse crise morale que nous traversons en France [...] – vient sans doute de ce que nous n'avons plus beaucoup de génies, et qu'en plus, ils ont honte d'être drôles.

Patrick Besson, *Le Figaro Magazine*, janvier 1996.

1. Humoristes qui se moquent des comportements sociaux.

a. **Lecture des deux premiers paragraphes du texte, p. 102.**

- **Relevez et classez dans le tableau le vocabulaire en relation avec l'idée de rire.**

Verbes et expressions verbales	Noms	Adjectifs

- **Faites la liste des arguments que l'auteur expose pour développer l'idée qui est annoncée dès la première phrase. Classez ces arguments selon ce qui est critiqué :**

– la société ;

– le(s) pouvoir(s) ;

– les comiques.

- **Caractérisez le raisonnement du deuxième paragraphe en choisissant vos mots parmi les adjectifs suivants :**

absurde – en forme de boutade – exagéré – fantaisiste – humoristique – logique – paradoxal – prétexte à des jeux de mots – tragique

b. **Lecture des deux derniers paragraphes.**

- **Complétez le tableau de vocabulaire commencé en a.**
- **Quelle est l'idée développée par l'auteur dans cette deuxième partie ? Quels sont les arguments exposés ?**

c. **Parmi les phrases suivantes, cochez celles qui expriment les idées de l'auteur.**

☐ Le rire subversif est sain. Il nous permet d'être objectif.

☐ Rire de soi permet de s'accepter.

☐ Il faut rire pour oublier les problèmes de la vie quotidienne.

☐ Le rire est une drogue qui nous fait fuir nos responsabilités.

☐ Il y a deux sortes de rire : le rire intelligent et le rire stupide.

☐ Quand on se moque des hommes politiques, on se moque aussi de ceux qui les ont élus.

☐ Parmi les valeurs de notre société, le rire occupe la première place.

d. **Quelles sont les idées exposées par l'auteur avec lesquelles vous n'êtes pas d'accord ? Donnez un argument pour justifier votre désaccord.**

Exemple : L'humour ne passe pas toujours avant l'intelligence, le courage, la culture : les personnalités préférées des Français (Cousteau, etc.) ne sont pas des humoristes.

e. **Complétez les pointillés avec un mot de la liste et les cadres avec un verbe ou une expression verbale relevés dans l'exercice a.**

1. Le film *Les Anges gardiens* avec Christian Clavier et Gérard Depardieu est un film très amusant. À chaque … le public ☐.
2. À la fin du repas, François s'est mis à raconter des … . Il nous a bien fait ☐.
3. Quand il a dit : « Les enseignants sont toujours en vacances », il a voulu ☐ de Florence qui est professeur. Mais, bien entendu, c'était … .
4. Les copains de Frédéric lui ont fait … en lui faisant croire que Mathilde était amoureuse de lui. En observant comment Frédéric se comportait, ils étaient ☐.
5. Pendant la conférence, j'étais assise à côté de Dominique. Elle n'a pas arrêté de faire des … . J'ai cru que j'allais ☐.
6. L'auteur de pièces de théâtre Sacha Guitry avait toujours … à la bouche pour ☐ ses amis.

- une blague
- un bon mot
- une boutade
- une farce
- un gag
- une pitrerie

LITTÉRATURE

13 Les mouvements du cœur et de l'esprit

a. Vous êtes metteur en scène et vous adaptez pour le cinéma le roman de Stendhal *Le Rouge et le Noir*. Au fur et à mesure de votre lecture des extraits suivants, notez dans le tableau ce qui vous permettra de concevoir votre mise en scène.

Lieux	Mouvements et attitudes des personnages	Sentiments et pensées des personnages
La chambre de Mathilde	Mathilde écrit le petit mot rapidement	Elle veut tester les sentiments de Julien. En même temps, elle espère vivre un moment romanesque.

b. Pour faire comprendre à vos acteurs le comportement de Mathilde et de Julien, notez ce qui dans ce comportement :

- est toujours actuel ;
- est marqué par l'époque où vivent les personnages (début du XIXe siècle).

Julien Sorel est le fils d'un charpentier pauvre du Jura. Il est remarqué pour son intelligence par le curé de son village et devient le précepteur des enfants du maire de la petite ville de Verrières. Renvoyé pour avoir eu une aventure amoureuse avec la femme du maire, il trouve un emploi de secrétaire, à Paris, auprès du marquis de La Mole. Il décide de séduire Mathilde, la fille du marquis. Il la courtise et finit par recevoir d'elle le petit mot suivant :

« J'ai besoin de vous parler : il faut que je vous parle, ce soir ; au moment où une heure après minuit sonnera, trouvez-vous dans le jardin. Prenez la grande échelle du jardinier près du puits ; placez-la contre ma fenêtre et montez chez moi. Il fait clair de lune : n'importe. »

Julien Sorel, percepteur.

Julien a décidé de suivre les instructions de Mathilde.

Il alla prendre l'immense échelle, attendit cinq minutes pour laisser le temps à un contrordre et à une heure cinq minutes posa l'échelle contre la fenêtre de Mahtilde. Il monta doucement, le pistolet à la main, étonné de n'être pas attaqué. Comme il approchait de la fenêtre, elle s'ouvrit sans bruit :

– Vous voilà, monsieur, lui dit Mathilde avec beaucoup d'émotion, je suis vos mouvements depuis une heure.

Julien était fort embarrassé, il ne savait comment se conduire, il n'avait pas d'amour du tout. Dans son embarras, il pensa qu'il fallait oser, il essaya d'embrasser Mathilde.

– Fi donc[1] ! lui dit-elle en le repoussant.

Fort[2] content d'être éconduit, il se hâta de jeter un coup d'œil autour de lui : la lune était si brillante que les ombres qu'elle formait dans la chambre de mademoiselle de La Mole étaient noires. Il peut fort bien y avoir là des hommes cachés sans que je les voie, pensa-t-il. […].

Après de longues incertitudes, qui eussent pu paraître à

un observateur superficiel l'effet de la haine la plus décidée, tant les sentiments qu'une femme se doit à elle-même avaient de peine à céder même à une volonté aussi ferme, Mathilde finit par être pour lui une maîtresse aimable[3].

À la vérité, ces transports[4] étaient un peu voulus. L'amour passionné était encore plutôt un modèle qu'on imitait qu'une réalité.

Mademoiselle de La Mole croyait remplir un devoir envers elle-même et envers son amant. Le pauvre garçon, se disait-elle, a été d'une bravoure achevée, il doit être heureux, ou bien c'est moi qui manque de caractère. Mais elle eût voulu racheter le prix d'une éternité de malheur la nécessité cruelle où elle se trouvait.

À la suite de cette soirée, Mathilde évite Julien pendant quelques jours mais les deux jeunes gens se retrouvent par hasard dans la bibliothèque.

Mathilde de la Mole.

En le voyant paraître, elle prit un air de méchanceté auquel il fut impossible de se méprendre[5].

Emporté par son malheur, égaré par la surprise, Julien eut la faiblesse de lui dire, du ton le plus tendre et qui venait de l'âme: Ainsi, vous ne m'aimez plus?

– J'ai horreur de m'être livrée au premier venu, dit Mathilde en pleurant de rage contre elle-même.

– Au premier venu! s'écria Julien, et il s'élança sur une vieille épée du Moyen Âge qui était conservée dans la bibliothèque comme une curiosité.

Sa douleur, qu'il croyait extrême au moment où il avait adressé la parole à Mademoiselle de La Mole, venait d'être centuplée par les larmes de honte qu'il lui voyait répandre. Il eût été le plus heureux des hommes de pouvoir la tuer.

Au moment où il venait de tirer l'épée, avec quelque peine, de son fourreau antique, Mathilde, heureuse d'une sensation si nouvelle, s'avança fièrement vers lui; ses larmes s'étaient taries[6].

L'idée du marquis de La Mole, son bienfaiteur, se présenta vivement à Julien. Je tuerais sa fille! se dit-il, quelle horreur! Il fit un mouvement pour jeter l'épée. Certainement, pensa-t-il, elle va éclater de rire à la vue de ce mouvement de mélodrame: il dut à cette idée le retour de tout son sang-froid. Il regarda la lame de la vieille épée curieusement et comme s'il y eût cherché quelque tache de rouille, puis il la remit dans le fourreau et avec la plus grande tranquillité la replaça au clou de bronze doré qui la soutenait.

Tout ce mouvement, fort lent sur la fin, dura bien une minute: mademoiselle de La Mole le regardait étonnée. J'ai donc été sur le point d'être tuée par mon amant! se disait-elle. Cette idée la transportait dans les plus beaux temps du siècle de Charles IX et de Henri III[7].

Elle était immobile devant Julien qui venait de replacer l'épée, elle le regardait avec des yeux où il n'y avait plus de haine.

Stendhal, *Le Rouge et le Noir*, 1830.

1. Interjection de désapprobation. Archaïque. – 2. Adverbe signifiant « très ». Archaïque. – 3. Euphémisme pour dire qu'elle s'est donnée à lui. – 4. Élans amoureux. Emploi archaïque. – 5. Se tromper. – 6. Cesser de couler. – 7. Pour les héros de Stendhal comme pour ceux de Flaubert (Madame Bovary) le XVIe siècle est considéré comme une époque romanesque.

UNITÉ 11

VOCABULAIRE

1 Les gratifications

Retrouvez les situations où l'on peut donner de l'argent sans y être obligé. Utilisez le vocabulaire ci-dessous. Précisez la situation quand c'est nécessaire.

Exemple : Je donne un pourboire au pompiste quand il a lavé la vitre de ma voiture.

Façons de gratifier

Donner un pourboire
Donner quelque chose pour le service
Donner des étrennes
Faire un don (une donation)
Faire l'aumône
Faire une offrande
Payer une prime
Payer un 13e (et un 14e) mois
Payer un pot de vin (un dessous de table)
Accorder des avantages en nature

Personnes que l'on gratifie

a. un coiffeur – b. un chef d'entreprise – c. un facteur – d. un garçon de café – e. un gros commanditaire – f. un gros client – g. la gardienne de l'immeuble – h. un haut fonctionnaire – i. un mendiant – j. une ouvreuse (cinéma, théâtre) – k. une organisation humanitaire – l. un pompier – m. un pompiste – n. un parti politique – o. le portier d'un grand hôtel – p. une personne qui a lancé un appel d'offres pour un marché important – q. un salarié – r. la statue d'un saint dans une église – s. un serveur (une serveuse) de restaurant – t. un chauffeur de taxi.

2 Opérations bancaires

a. **Lisez la BD de la page 107. En utilisant le vocabulaire ci-contre, reconstituez l'ordre chronologique des opérations bancaires que compte faire le client.**

→ 1. Le client demande à la banque un prêt de…

- acheter/vendre
- faire un bénéfice
- emprunter/prêter/rembourser
- une dévaluation/une réévaluation
- des devises (étrangères)

b. **Relevez les mots qui indiquent des opérations bancaires. Trouvez le nom ou le verbe de la même famille.**

Exemple : déposer → un dépôt.

c. **Réécrivez les propos du client dans les quatre premières images en utilisant les mots suivants :**

Image 1 : créditer – ouvrir un compte.

Image 2 : investir – faire une plus-value – le taux de change – spéculer.

Image 3 : rembourser un emprunt.

Image 4 : obtenir un prêt.

Wolinski, *Nous sommes en train de nous en sortir.*
Albin Michel/Sefam, 1995.

3 Expressions imagées à propos de l'argent

Trouvez l'expression imagée dans la colonne de droite.

Que pouvez-vous dire à propos de quelqu'un qui...

a. gagne beaucoup d'argent dans une affaire.
b. est riche.
c. mène une vie de riche.
d. est très dépensier.
e. a des difficultés financières passagères.
f. n'a plus d'argent.
g. fait des économies.
h. est avare.

1. Il jette l'argent par les fenêtres.
2. Il est sur la paille.
3. Il se serre la ceinture.
4. Il a le portefeuille bien garni.
5. Il mène une vie de château.
6. Il s'en met plein les poches.
7. Pour lui, un sou c'est un sou.
8. Il mange de la vache enragée.
9. C'est un panier percé.
10. Il est plein aux as.
11. Il tire le diable par la queue.
12. Il fait son beurre.
13. Il ne roule pas sur l'or.
14. Il vit au-dessus de ses moyens.

4 Tendances de la consommation

Le sociologue Gérard Mermet (*Tendances*, 1996) a recensé les qualités que les consommateurs de la fin des années 90 demandent aux produits. Voici quelques-unes de ces qualités.

CRITÈRES DE QUALITÉ DES CONSOMMATEURS DE LA FIN DES ANNÉES 90

Pour le consommateur un produit idéal est...

1. un produit qui dure.
2. un produit qui fait gagner du temps.
3. un produit qui rend plus autonome.
4. un produit authentique qui a du sens.
5. un produit convivial.

- **Alimentation :** les produits régionaux – l'appareil à fondue (savoyarde ou bourguignonne) – les pizzas livrées à domicile.
- **Habillement :** le jean – le KWay – le sac à dos.
- **Maison :** les meubles anciens – les objets de l'artisanat.
- **Transports :** le TGV – le moteur Diesel – le monospace – le vélo de ville.
- **Communication et services :** l'Internet – les distributeurs automatiques.
- **Les loisirs :** le matériel de bricolage – le parc Astérix – les expositions.

a. **Retrouvez-les dans les produits de la liste ci-contre.**

Exemple : le jean : il est résistant 1.
beaucoup de gens le portent 5.

b. **Trouvez d'autres produits qui satisfont ces critères de qualité.**

Exemple : l'autonomie : le téléphone portable.

tatoo
01 44 06 49 17
tatoo
Votre tribu garde le contact avec vous.
3 façons de me joindre :
1 Tu m'envoies un numéro de téléphone à rappeler ou un code (15 chiffres) : compose mon numéro Tatoo sur un téléphone à touches musicales et suis les instructions.
2 Tu me laisses un message de vive voix sur mon Répondeur Tatoo (30 secondes maxi) : compose mon numéro Tatoo sur un téléphone et appuie sur la touche "*" dès le message d'accueil.
3 Tu m'envoies un message en toutes lettres : compose le 08 36 60 33 33, donne mon numéro Tatoo à l'opératrice et dicte-lui ton message.

GRAMMAIRE

5 Les adverbes et les formes adverbiales

Dans la première partie de cette histoire drôle, remplacez les expressions soulignées par des adverbes en *-ment* (*exemple :* avec lenteur → lentement).
Dans la deuxième partie, remplacez les adverbes en *-ment* par des expressions adverbiales (facilement → avec facilité – sans problème).

Histoire drôle.

• Un célèbre publicitaire meurt et monte au Paradis. Saint Pierre lui ouvre et le salue d'une manière polie.

« Suivez-moi. Je vous fais visiter en vitesse les différentes parties de mon domaine. Vous choisirez ensuite en toute liberté l'endroit que vous préférez. »

Au fond du couloir, saint Pierre ouvre une porte grise qui donne sur une grande salle où des milliers de gens voûtés tournent en rond avec tristesse.

« Voilà, commente saint Pierre avec simplicité. Ça, c'est le Paradis, et maintenant
je vais vous montrer l'Enfer. »

Il ouvre une superbe porte décorée avec finesse. Et là, sans contestation possible, c'est la fête. Tout le monde s'amuse dans la joie.

• « Alors, demande saint Pierre calmement, dites-moi franchement ce que vous préférez.

– L'Enfer, bien sûr, répond spontanément le publicitaire. »

Instantanément, deux affreux diables lui sautent dessus, l'emportent brutalement et le poussent violemment dans une marmite d'eau bouillante.

« Eh là ! ça ne va pas, proteste le publicitaire. Cet Enfer-là ne correspond pas à ce que j'ai vu tout à l'heure !

– C'est vrai, répond ironiquement saint Pierre. Mais tout à l'heure, c'était de la publicité. »

6 Le gérondif et la proposition participe présent

Combinez les phrases en exprimant la circonstance par un gérondif ou une proposition participe présent.

Exemple : 1. En lançant les boissons énergisantes, les producteurs visent essentiellement...

Les nouveaux cocktails énergisants.

- Les producteurs ont lancé des boissons énergisantes. Ils visent essentiellement une clientèle de jeunes.
- La consommation d'alcool a diminué ces dernières années. Les commerçants ont cherché des boissons qui prennent le relais.
- Les adolescents sont de grands consommateurs de sodas. Ces nouvelles boissons qui ont le goût et l'odeur du soda n'ont pas eu de peine à s'imposer.
- Les publicitaires ont vanté les effets de ces boissons sur les performances intellectuelles et physiques. Ils ont rapidement conquis le marché des jeunes noctambules.
- La législation alimentaire a toujours été très stricte en France. C'est pour cela qu'on avait jusqu'à présent échappé à ce type de cocktail.
- Mais les fabricants ont respecté scrupuleusement les produits permis et les dosages. Ils ont pu faire approuver ces boissons.
- Les associations de lutte contre l'alcoolisme manifestent contre ces mélanges de sodas, de vitamines et d'alcool. Elles veulent montrer que les boissons énergisantes ne sont pas sans risque pour la santé.

7 Expressions adverbiales

Trouvez l'expression adverbiale qui convient à chaque action.

Exemple : Il part toujours à l'aventure.

• ***L'insouciant.***

Il part toujours ...
Il arrive chez ses amis ...
Mais il les invite ensuite chez lui ...
Et sa vie se déroule ... de ses rencontres.

- de bon cœur
- à l'improviste
- à l'aventure
- au hasard

• ***Les deux amis qui ne s'étaient pas vus depuis longtemps.***

Ils ont parlé ...
Ils se sont confié leurs secrets ...
Ils ont ri ...
Ils se sont quittés ...

- aux éclats
- à regret
- à bâtons rompus
- à cœur ouvert

• ***Le distrait.***

Il se réveille ...
Il cherche ses lunettes ...
Comme il ne les retrouve pas, il met la chambre ...
Il finit pas mettre sa chemise ... et sa casquette ...

- de travers
- à l'envers
- sens dessus dessous
- à tâtons
- en sursaut

• ***Conférencier malgré lui.***

On lui a demandé ... s'il acceptait de faire une conférence pour parler de son métier.
Il a accepté ... et il ne l'a pas fait ...
D'ailleurs, il avait rédigé sa conférence et il l'avait apprise ... Il la savait ...

- par cœur
- de gaieté de cœur
- à contre-cœur
- à brûle-pourpoint
- sur le bout des doigts

8 Expression de la certitude et du doute

Dans le dialogue suivant, nuancez les propos de Marion et de Thomas. Réécrivez les phrases suivies d'une expression entre parenthèses en employant cette expression.

Exemple : Je suis convaincue que notre voisine me déteste.

MARION : Notre voisine me déteste (*être convaincu*). Quand elle met la télé à fond, elle le fait exprès (*être persuadé*).

THOMAS : Elle est un peu sourde (*il se peut que...*).

MARION : Pas du tout ! Elle entend très bien (*être certain*). Hier, quand Mélanie est sortie, elle était derrière la porte. Elle faisait semblant de chercher sa clé. Est-ce qu'elle était là par hasard (*douter que...*) ? Elle aura entendu notre conversation (*il se pourrait que...*).

THOMAS : Tu te fais des idées (*il est possible que...*). Sa clé avait glissé au fond de son sac (*il est probable que...*).

MARION : Et puis, ce n'est pas tout ! Ce matin, au marché, je l'ai croisée. Elle m'a ignorée.

THOMAS : Est-ce qu'elle t'a vue (*il n'est pas sûr que...*) ?

MARION : Elle m'a vue. Le contraire est impossible (*il est peu probable que...*).

ÉCRIT

9 Le compte rendu

a. Lisez ci-dessous le compte rendu de presse d'une séance de conseil municipal. Au fur et à mesure de votre lecture, notez:

- les verbes qui indiquent que quelqu'un parle (exemple: ouvrir la séance...);
- les arguments du débat:
  → les arguments favorables au projet,
  → arguments défavorables au projet.

b. Répondez à ces questions posées par un journaliste à un conseiller municipal après la séance.

- L'opposition de gauche était-elle pour ou contre le projet?
- La Coupe du monde était l'occasion de développer nos infrascructures sportives et hôtelières. Cet argument a-t-il été évoqué ?
- Quel est l'argument qui a été décisif dans le rejet du projet?
- Regrettez-vous la décision qui a été prise?

c. En ne retenant que les faits essentiels et les arguments principaux du débat, transformez cet article en nouvelle brève (résumez-la en 5 ou 6 lignes).

Coupe du monde de football

LA VILLE NE PARTICIPERA PAS

17 JANVIER – Le conseil municipal a débattu hier soir de l'éventualité d'une participation de la ville à la Coupe du monde de football.

Ouvrant la séance à 20h30, le maire a déclaré que dans la mesure où les avis ne reflètent pas les clivages politiques traditionnels, il ne donnerait son opinion sur le sujet qu'au moment du vote. Il a rapidement passé la parole à M. Durand, adjoint aux sports et au tourisme, qui a fait valoir les avantages d'une manifestation de l'envergure d'une Coupe du monde de football en termes d'image et de retombées économiques pour la ville. Il a par ailleurs affirmé que c'était une occasion unique de faire connaître notre patrimoine communal et régional.

M. Bouvet a ensuite présenté les implications financières de l'éventuelle participation: dépenses entraînées par la construction d'un grand stade et par le renforcement des infrastructures hôtelières; recettes provenant des subventions nationales et régionales, des droits de télévision, des entrées aux matches et de l'activité commerciale entraînée par l'afflux de visiteurs. Il a souligné que le budget faisait apparaître une dette d'un million de francs.

Le débat qui a suivi a été très animé. Des réserves ont été émises sur la capacité d'une manifestation sportive à servir de vitrine culturelle pour une ville et sa région. «*Six mois après la Coupe*, a soutenu Mme Boyer, *le nom de notre ville aura été oublié du monde entier. En revanche, nous, nous resterons avec nos dettes.*»

Il a par ailleurs été admis que les équipements sportifs et hôteliers construits à cette occasion auraient peu de chances d'être rentabilisés à long terme. «*Nous serons peut-être un jour amenés à démolir ce que nous avons construit à grand frais*» a prophétisé un écologiste.

Enfin, la majorité du conseil s'est inquiétée de la lourde charge fiscale que les contribuables de la ville auraient à supporter en cas d'adoption du projet.

Le vote à main levée a eu lieu vers 23 heures. Par 23 voix contre 8, il a été décidé de rejeter le projet de participation de la ville à la Coupe du monde de football.

10 Documents autour d'un projet

Faites une première lecture de ces trois documents qui sont en relation les uns avec les autres.

Document 1

1995 : Une ferme gasconne[1] du XVIIIe siècle échappe à la destruction

Été 1995, commune de Bourrouillan en Bas Armagnac. **La ferme de Courros**, écartée de justesse de la griffe des bulldozers, est sauvée de l'anéantissement par les bénévoles de l'association *Terre EtToile.*

Le chantier de sauvetage, mené **sous la conduite de professionnels du bâtiment**, a eu pour but le démontage de cette magnifique construction à ossature de bois si typique des coteaux d'Armagnac. Chaque pièce de bois, soigneusement démontée, a été numérotée et repérée sur plan.

1996/97 : La ferme de Courros va être remontée sur le site de Lartigan à Termes d'Armagnac

Le remontage, qui débutera à l'automne 1996, va s'organiser sous la forme de **chantiers de réinsertion et de formation**, qui dispenseront initiation et spécialisation aux métiers de la restauration du bâti ancien.

Ressuscitée par *Terre EtToile*, elle constituera le cœur d'un **centre culturel rural** et abritera un lieu d'accueil et de rencontre, une vaste salle d'exposition, des locaux pour des artistes en séjour d'étude ainsi que deux ateliers, outils essentiels des **activités pédagogiques** de l'association.

D.R.

Document 2

C'est avec beaucoup d'intérêt que la chambre d'agriculture a pris connaissance du projet de votre association qui a l'intention de reconstruire la ferme de Courros sur la commune de Termes d'Armagnac. Nous souscrivons volontiers à cette initiative qui rejoint nos objectifs de préservation et réhabilitation des anciennes habitations de notre belle région gersoise[1].
Afin de vous aider dans cette opération, nous avons le plaisir de vous accorder une dotation de 1000F dont vous ferez, nous en sommes persuadés, bon usage.

1. **Note sur les lieux géographiques.** *La Gascogne* (adj. : gascon/gasconne) est une ancienne région de France située entre la Garonne et les Pyrénées. Elle se divisait en plusieurs zones dont l'*Armagnac*.
Le Gers (adj. : gersois/gersoise) est un département situé en Armagnac.

Document 3

Nogaro, le 16 août. En marge du Festival de jazz, plusieurs manifestations étaient organisées. En particulier celle de l'association *Terre EtToile* qui invitait les Gersois et les touristes à parrainer la reconstruction d'une ancienne ferme gasconne. Pour 100 F, vous pouviez devenir propriétaire d'une des centaines de « chevilles » – ces petites pièces en bois qui servent à assurer la cohésion et le maintien de l'ossature en bois du bâtiment – de ce futur centre culturel rural. Votre nom gravé sur la cheville témoignait ainsi de votre soutien à ce projet ambitieux visant à préserver le patrimoine gascon et à insuffler un nouveau dynamisme à notre région. Cent vingt personnes se sont laissé séduire par cette idée originale.

a. Nature et fonctions des trois documents. Complétez le tableau.

	Doc 1
Nature du document ?	dépliant d'information
Qui a produit le document ?	
À l'intention de qui a-t-il été produit ?	
Quels sont les faits qui sont à l'origine du document ?	
Dans quel(s) but(s) a-t-il été produit ?	

b. Reconstituez la chronologie des faits qu'on peut découvrir ou imaginer en lisant ces trois documents. Notez entre parenthèses les évènements que vous imaginez.

Été 1995 (dans la commune de Bourrouillan en Bas Armagnac, un projet immobilier nécessite la destruction de la ferme de Courros.)
Une association se crée. Elle a pour but…

c. Les membres de l'association *Terre EtToile* se réunissent au début de l'année 1995. En vous aidant des phrases suivantes qui ont été prononcées pendant cette réunion et en tenant compte des informations recueillies dans les trois documents, imaginez et rédigez un bref compte rendu de cette séance.

« Nous avons constaté… Il a été décidé… Madame Filloux a suggéré… »

Voici le résultat de mon rendez-vous avec l'adjoint au maire chargé du plan d'occupation des sols : impossible de revenir sur la décision de construire sur l'emplacement de la ferme de Courros….

J'ai une idée à vous proposer pour conserver ce bâtiment…

Si on faisait une liste des organismes susceptibles de nous aider ?

C'est une bonne idée, mais nous ne pouvons pas faire ça tout seuls. Il faut que ce soit fait par des professionnels. Donc, il faut trouver de l'argent.

C'est bien, mais on devrait aussi pouvoir trouver un moyen d'intéresser les gens : les habitants de la région, les touristes…

LITTÉRATURE

11 Contes et fables

Zadig, un jeune homme intelligent et plein de sagesse, voyage dans un orient imaginaire. Il arrive un jour dans l'île de Sérendib où le roi Nabussan, un homme bon et naïf, est constamment trompé et volé par ses trésoriers.

Le roi Nabussan confia sa peine au sage Zadig. « Vous qui savez tant de belles choses, lui dit-il, ne sauriez-vous point le moyen de me faire trouver un trésorier qui ne me vole point ? – Assurément, répondit Zadig, je sais une façon infaillible de vous donner un homme qui ait les mains nettes. » Le roi, charmé, lui demanda en l'embrassant comment il fallait s'y prendre. « Il n'y a, dit Zadig, qu'à faire danser tous ceux qui se présenteront pour la dignité de trésorier, et celui qui dansera avec le plus de légèreté sera infailliblement le plus honnête homme. – Vous vous moquez, dit le roi ; voilà une plaisante façon de choisir un receveur de mes finances. Quoi ! vous prétendez que celui qui fera le mieux un entrechat[1] sera le financier le plus intègre et le plus habile ? – Je ne vous réponds pas qu'il sera le plus habile, repartit Zadig ; mais je vous assure que ce sera indubitablement le plus honnête homme. » Zadig parlait avec tant de confiance que le roi crut qu'il avait quelque secret surnaturel pour connaître les financiers. [...]

Le roi accepte la proposition de Zadig. Toutes les personnes candidates au poste de trésorier sont convoquées au palais.

Ils s'y rendirent au nombre de soixante et quatre. On avait fait venir des violons dans un salon voisin ; tout était préparé pour le bal ; mais la porte de ce salon était fermée, et il fallait, pour y entrer, passer par une petite galerie assez obscure. Un huissier vint chercher et introduire chaque candidat, l'un après l'autre, par ce passage dans lequel on le laissait seul quelques minutes. Le roi, qui avait le mot[2], avait étalé tous ses trésors dans cette galerie. Lorsque tous les prétendants furent arrivés dans le salon, Sa Majesté ordonna qu'on les fît danser. Jamais on ne dansa plus pesamment et avec moins de grâce. Ils avaient tous la tête baissée, les reins courbés, les mains collées à leurs côtés. « Quels fripons ![3] « disait tout bas Zadig. Un seul d'entre eux formait des pas avec agilité, la tête haute, le regard assuré, les bras étendus, le corps droit, le jarret[4] ferme. « Ah ! l'honnête homme ! le brave homme ! » disait Zadig. Le roi embrassa ce bon danseur, le déclara trésorier, et tous les autres furent punis et taxés avec la plus grande justice du monde.

Voltaire, *Zadig ou La destinée, histoire orientale*, 1748.

1. Figure de danse (petit saut) – **2.** Qui était dans la confidence – **3.** Malhonnête, voleur – **4.** Partie de la jambe au-dessous du genou.

a. **Vous êtes un familier de la cour du roi Nabussan et vous avez assisté à sa conversation avec Zadig (première partie du texte). Rapportez brièvement cette conversation à l'un de vos amis.**

« Figure-toi que le roi a demandé à Zadig s'il ne connaissait pas... »

b. **Lisez la deuxième partie du texte. Résumez en quatre phrases en quoi consiste le stratagème imaginé par Zadig.**

« Les candidats au poste doivent passer... On leur demande ensuite... Ceux qui... En revanche, ceux qui... »

c. **Relevez les détails qui décrivent les attitudes des bons et des mauvais danseurs. Justifiez ces attitudes.**

d. **À la manière de Zadig, imaginez une façon astucieuse de sélectionner :**

1. un médecin compétent
2. un(e) concierg(e) discrèt(e)
3. une femme de ménage honnête
4. une « babysitter » consciencieuse

e. **Lisez cette fable du poète La Fontaine (XVIIe siècle).**

- **Quelle leçon l'agriculteur (le « Laboureur ») veut-il donner à ses enfants ?**
- **Quel stratagème utilise-t-il ? Racontez brièvement l'histoire.**
- **Imaginez les réflexions des enfants à la fin de l'histoire.**
- **La morale de cette fable vous paraît-elle toujours actuelle ?**
- **Imaginez une fable adaptée à vos propres valeurs.**

– le temps libre
– l'amour
– la liberté
– l'aventure
– etc.

} est un trésor

Le Laboureur et ses enfants

Un riche laboureur, sentant sa mort prochaine,
Fit venir ses enfants, leur parla sans témoins.
« Gardez-vous, leur dit-il, de vendre l'héritage[1]
    Que nous ont laissé nos parents :
    Un trésor est caché dedans.
Je ne sais pas l'endroit ; mais un peu de courage
Vous le fera trouver : vous en viendrez à bout.
Remuez votre champ dès qu'on aura fait l'oût[2].
Creusez, fouillez, bêchez, ne laissez nulle place
    Où la main ne passe et repasse. »
Le père mort, les fils vous[3] retournent le champ.
Deçà, delà[4], partout : si bien qu'au bout de l'an
    Il en rapporta davantage.
D'argent, point de caché. Mais le père fut sage
    De leur montrer, avant sa mort,
    Que le travail est un trésor.

La Fontaine, *Fables* (1668).

1. Il s'agit des champs – **2.** Expression du XVIIe siècle qui signifie « faire la récolte » – **3.** Emploi familier de « vous » qui prend le lecteur à témoin – **4.** Expression archaïque signifiant « ici et là ».

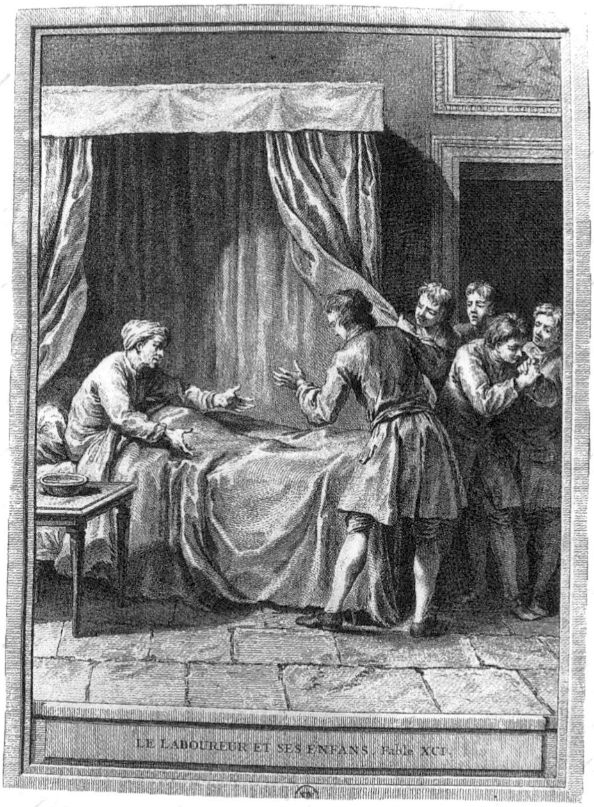
LE LABOUREUR ET SES ENFANS. Fable XCI.

UNITÉ 12

VOCABULAIRE

1 Les paysages

GOLFE DE PORTO

Avec ses murailles rouges qui tombent dans une mer très bleue, le golfe de Porto constitue un paradis pour les adeptes du kayak de mer et les baigneurs. Ceux-ci apprécieront notamment le golfe de Girolata, les rochers flamboyants de la plage de Bussagia, avec une eau de bonne qualité, ou les galets de celle de Caspio. Mais on peut leur préférer les calanques avec leurs colonnes et leurs aiguilles de granit s'élevant à 300 m au-dessus de la mer.

ÎLES LAVEZZI

Cette réserve naturelle est le point le plus méridional du territoire européen de la France. L'archipel, constitué d'îles et d'îlots, fait songer à un chaos de pierres et de rocs. On y trouve des lézards et des oiseaux marins, ainsi qu'une plante rarissime de la famille des œillets, le silène velouté. C'est le seul endroit de la côte où le mérou se reproduit.

AÏTONE ET VALDO-NIELLO

Ces deux forêts situées dans le parc naturel régional se rejoignent au col de Vergio, chacune couvrant un versant de montagne, qui domine Evisa. On y trouve des châtaigniers, des pins laricio et des hêtres. Il faut marcher jusqu'à la cascade de la vallée Scarpa. Le torrent Aïtone y a creusé une piscine dans le granit.

LAMA

Ce petit village médiéval, accroché à 450 m sur une arête rocheuse de la chaîne de Tenda, surplombe la vallée de l'Ostriconi. Pittoresque, il est bien préservé et particulièrement fleuri, avec des toits en terrasse et de belles demeures de type Palazzu. Vous vous y promènerez le long de ruelles étroites et abruptes, sous des passages voûtés.

Ça m'intéresse, juin 1996.

a. **Lisez le document de la page 116 et trouvez une légende pour chaque photo.**

b. **Classez le vocabulaire des paysages et de la nature dans le tableau.**

Formes du relief	Formes de la terre	Mer et formes du littoral	Cours d'eau	Végétaux	Animaux
une muraille	un rocher	un golfe			

c. **Associez les mots suivants aux mots que vous avez classés dans le tableau. Indiquez la nuance de sens entre les deux mots.**

Exemple : une baie → un golfe. La baie est en général plus petite que le golfe mais il peut y avoir des exceptions (la baie d'Hudson au Canada).

- une baie
- un bois
- un caillou
- une chute d'eau
- un coteau
- une falaise
- un océan
- une passe
- un pic
- le rivage
- un ruisseau
- un sommet
- un vallon

d. **Les mots de la colonne de gauche nomment des lieux du paysage mais ils peuvent aussi avoir un autre sens. Trouvez ce deuxième sens en vous aidant des mots de la colonne de droite.**

Exemple : La baie vitrée d'un appartement.

une aiguille – une baie	un appartement – un château
une cascade – un col	une chemise – le corps
une gorge – une muraille	un disque – un film
un pic – une plage	un outil – ... à tricoter

e. **Complétez avec un mot de la liste pris dans un sens figuré.**

1. Avec la série télévisée M. Bean de Rowan Atkinson, on n'arrête pas de rire à cause des gags en ... .
2. Le bac n'est pas un examen très difficile. Il ne faut pas s'en faire ... .
3. L'*Adagio* d'Albinoni est sur la ... n° 4 du disque « Musiques baroques ».
4. Au centre de la ville bruyante, ce petit square est ... de tranquillité.
5. Son ambition le conduit vers ... de la hiérarchie sociale.
6. Pierre a une santé de fer et une grande force de caractère. C'est ... .
7. Quand il a vu que je n'étais pas dupe de sa ruse, il m'a adressé des ... d'injures.

- une cascade
- un îlot
- une montagne
- une plage
- un roc
- un sommet
- un torrent

f. **Reconstituez ces phrases extraites d'un guide touristique.**

- Le *mont Blanc* ...
- Les *falaises d'Étretat* ...
- La *Seine* ...
- L'*église du Sacré-Cœur à Paris* ...
- La *Loire* ...
- La grande plaine de *la Beauce* ...
- Le massif rocheux de l'*Estérel* ...
- L'observatoire du *mont Aigoual* dans les Cévennes ...

1. s'étend au sud de Paris.
2. se dresse sur la colline de Montmartre.
3. borde la Côte d'Azur.
4. culmine à 4807 mètres.
5. s'étire sur 1 000 km entre le Massif Central et l'Océan.
6. serpente à travers les plaines de l'Île-de-France.
7. surplombent la Manche.
8. domine toute la région jusqu'à la mer.

2 Le hasard et la chance

a. Complétez avec les mots de la liste.

Au tribunal, l'accusé prend la parole.

« Messieurs les jurés, j'ai tué mon frère parce que c'est quelqu'un qui a toujours eu trop de chance.

Quand nous étions enfants et qu'on distribuait ... les parts de galette des Rois, c'était toujours lui qui avait la fève.

En camping, quand on ... celui qui devait faire la vaisselle, c'était toujours moi qui perdais.

Quand nous faisions des ... dans le genre : « Dix francs que demain, le prof d'histoire mettra ses chaussettes blanches ! », c'était toujours lui qui gagnait.

Quand on jouait en famille au Monopoly, il s'enrichissait. Moi, je ... .

Quand on jouait aux cartes, il avait toujours tous les ... dans son jeu. Le jour de ses 20 ans, nous sommes allés au Casino. Il ... 1 000 F sur le 20 et il ... 36 fois sa mise.

Je n'étais pas plus moche que lui, ni plus bête. Comme lui, j'étais amoureux d'Isabelle. Mais c'est lui qui ... d'être choisi.

C'est ainsi. Le ... l'a toujours favorisé.

Alors, un jour qu'il m'avait invité à faire une croisière avec lui (une croisière qu'il avait gagnée), je l'ai poussé par-dessus bord.

Aucun bateau ne l'a repêché. Il n'a pas eu ... . C'est la seule fois de sa vie. »

- un atout
- un pari
- le destin
- la veine
- avoir de la chance
- (faire quelque chose) au hasard
- empocher
- miser
- tirer au sort
- se ruiner

b. Associez chacun des mots suivants avec un mot de la liste de la partie a.

■ le hasard ■ la chance ■ un avantage ■ un enjeu ■ tirer à la courte paille ■ être né sous une bonne étoile ■ parier ■ ramasser ■ dilapider sa fortune ■ (agir) d'une manière improvisée.

3 Expressions avec le mot « jeu »

Complétez avec les expressions de la liste.

Deux étudiants en économie, qui font chacun un stage dans une entreprise, se retrouvent.

- Oh moi, tout va bien. Je suis en stage chez mon oncle. Il m'a confié la comptabilité. Pour moi c'est ... . Et toi ?
- Ben, ça ne se passe pas très bien. Je crois qu'on ne m'apprécie pas beaucoup.
- Est-ce qu'avec tes tenues extravagantes et ta façon directe de t'exprimer, tu n'es pas arrivé dans cette entreprise ... .
- Au début, si. Mais après, ... Je mets un costume et une cravate et je suis discret. Malgré ça, c'est toujours à moi qu'on demande de faire des photocopies.
- Est-ce que ce n'est pas un peu ... quand on est stagiaire ?
- Peut-être, mais ce n'est pas une raison pour que les collègues me demandent aussi de leur apporter des cafés ou d'aller leur acheter des sandwichs.
- Tu en as parlé au patron ?
- Oui, mais ça n'a servi à rien parce que c'est lui qui ... .
- Écoute. Ne t'inquiète pas pour ça, ... Mais n'oublie pas quand même que c'est ton avenir qui ... .
- Tu ... de me dire ça, toi, tranquillement planqué chez ton oncle !

Liste :

- avoir beau jeu
- c'est un jeu d'enfant
- c'est la règle du jeu
- être en jeu
- le jeu n'en vaut pas la chandelle
- jouer le jeu
- se comporter (arriver) comme un chien dans un jeu de quilles
- mener le jeu

GRAMMAIRE

4 Expression de la ressemblance

Complétez en n'utilisant qu'une seule fois chaque mot ou expression de la liste.

LÉA : Figure-toi qu'hier dans la rue, j'ai eu un choc. J'ai croisé un type qui ... à Johnny Halliday : ... yeux bleus délavés, cheveux blonds et un peu négligés ... à ceux du chanteur. Une .. conforme quoi !

ANNA : C'était peut-être lui !

LÉA : Non, parce qu'il était avec une femme qui l'appelait Maurice et que je vois mal un type célèbre ... Johnny se balader à 8 heures du matin dans une rue du XIXe arrondissement.

ANNA : Dans ce cas, c'était peut-être ... .

LÉA : En tout cas, il aurait pu faire la ... de Johnny dans un de ses films. Il avait une façon de marcher ... à celle du chanteur et comme lui il était chaussé de bottes mexicaines et portait un blouson de cuir noir et un jean. Je t'assure. C'était Johnny ... on le voit dans les magazines.

- une copie
- une doublure
- un sosie
- ressembler
- être pareil
- identique
- même(s)
- comme
- tel (tels, etc.) que

5 Expression de la différence

Le voyagiste (ou « tour-opérateur ») Nouvelles Frontières propose deux formules de voyage.

a. Dans chacune des formules ci-contre, relevez les informations données sur :

- le public auquel s'adresse la formule ;
- l'organisation ;
- l'encadrement ;
- l'hébergement ;
- les déplacements ;
- les repas ;
- les buts généraux.

b. Pour chacun des points ci-dessus, rédigez une phrase de comparaison entre les deux formules.

Variez l'expression de la comparaison.

- plus (de...) / moins (de...) ... que
- davantage (de...) ... que
- mieux (meilleur) ... que, etc.
- se différencier – se distinguer – etc.

LE CIRCUIT ORGANISÉ

Il se compose d'un groupe, d'un accompagnateur Nouvelles Frontières et, dans certains cas, d'un guide local. Un itinéraire est déterminé à l'avance. Les déplacements s'effectuent en car privé. Certains circuits comportent le logement et le petit déjeuner, d'autres la demi-pension ou la pension complète. L'itinéraire, les réservations d'hôtels, les transports intérieurs, l'organisation des excursions sont pris en charge par Nouvelles Frontières ou ses correspondants locaux. Néanmoins, une certaine liberté est laissée aux participants.

LE CIRCUIT INITIATIVE ET DÉCOUVERTE

Un petit nombre de voyageurs décidés à découvrir le même pays, avec les moyens du bord, un accompagnateur et un objectif commun : voir le pays de près et prendre le temps de faire connaissance avec ses habitants. Avec cette formule, les hôtels et les transports ne sont pas réservés à l'avance.

Le budget du groupe comprend le logement dans de petits hôtels bon marché, parfois en chambres de plusieurs lits. Il arrive même que, dans certaines régions, les hôtels fassent défaut, il est donc prudent de se munir d'un duvet[1]. Les repas, compris ou non, sont pris dans les auberges locales. Le circuit : itinéraire, moyens de transport, hôtels, gestion du budget, excursions... est préparé au cours d'une réunion avec l'accompagnateur et les participants.

Catalogue Nouvelles Frontières, été 96.

1. Sac de couchage.

6 La comparaison

Complétez les commentaires des statistiques en utilisant les mots suivants :

- plus... davantage... autant... moins... (de... / que...)
- égal à
- de moins / de plus
- d'autant plus / moins... (que...)
- augmenter (en augmentation) diminuer (en diminution)

Nuancez l'expression des comparaisons (*un peu plus*, *beaucoup moins*, etc.).

En 1996, le nombre des Français a être très satisfaits de leurs vacances est ... celui de 1994. En revanche, le nombre des mécontents est ... important. Globalement, la situation a peu évolué : trois points ... pour les « satisfaits », quatre points ... pour les « insatisfaits ».

En ce qui concerne les activités pratiquées en vacances, signalons que le farniente sur la plage a toujours ... adeptes. On remarque cependant que les Français font ... d'activités sportives et sortent ... pour faire la fête. Le seul sport ... est la natation mais il s'agit ... d'un moyen de « faire le vide » que d'une véritable activité sportive. Ce désir de « faire le vide » est ... impérieux que les difficultés de l'année ont été plus stressantes.

Bien que les vacances en famille rassemblent ... de Français, il faut noter que le temps consacré à faire la cuisine a considérablement ... . En 1996, la convivialité est ... synonyme de randonnée que de bon repas.

Quant à l'engouement pour les visites touristiques, il reste ... en 1996 à celui de 1994.

7 Expressions avec *plus* et *moins*

Complétez avec une expression de la liste.

PIERRE : Alors tu as passé un bon week-end ?

PAUL : Bof, je suis resté chez moi, ...

PIERRE : Il me semble que depuis quelque temps, tu sors ... . Fais attention ! ... on sort ... on a envie de sortir. Tu aurais dû te bouger un peu plus. Il a fait un temps magnifique.

PAUL : Je vais te dire. Je reste chez moi avec ... plaisir que j'ai aménagé ma terrasse en jardin.

PIERRE : Ah, c'est nouveau ça ! Te voilà jardinier ! Et ça pousse, ..., ce que tu as planté ?

PAUL : ... . Je crois que je n'ai pas la main verte. Mes rosiers ont pris 5 cm en un mois, ...

PIERRE : C'est à cause de la pollution, ...

Cette année êtes-vous satisfait de vos vacances ?

	Rappel enquête « Le Figaro Magazine » SOFRES, août 1994		Août 1996	
Très satisfait	26	59	26	56
Assez satisfait	**33**		**30**	
Pas très satisfait	7	17	9	21
Pas satisfait du tout	10		12	
Sans opinion		24		23

Quelles ont été vos principales activités pendant vos vacances d'été ?

	1994	1996
Aller à la plage	**48**	**47**
Faire du sport	26	21
Nager	29	32
Lire	33	33
Passer des moments avec votre famille, vos enfants	**50**	**58**
Faire des randonnées, vous promener	**54**	**53**
Faire du bateau, de la planche à voile	8	8
Faire la fête, sortir	28	21
Visiter des monuments, des sites touristiques	**47**	**47**
Avoir des activités artistiques (peinture, musique...)	5	4
Regarder la télévision	9	10
Faire la cuisine	26	16
Paresser, ne rien faire de spécial	32	31
Aller à la pêche	11	10
Avoir des activités manuelles (bricoler, jardiner...)	19	14

Le Figaro Magazine, septembre 1996.

- au moins
- d'autant plus de...
- de moins en moins
- moins... moins...
- ni plus ni moins
- plus ou moins
- sans plus
- tout au plus

ÉCRIT

8 Évolutions et changements

a. Vous vous rendez dans le département de la Lozère (sud du Massif central) pour des raisons professionnelles. Vous ne connaissez rien de ce département mais, comme vous allez devoir rencontrer des responsables politiques locaux (maires, conseillers généraux) et que vous ne voulez pas paraître trop ignorant, vous vous documentez.

Dans l'article suivant, relevez et classez toutes les informations que vous pouvez recueillir sur ce département.

- Situation...
- Aspect géographique...
- Villes et villages...
- Population...
- Économie..., etc.

Notez les évolutions le cas échéant.

b. Au cours d'une conversation avec des responsables locaux, vous entendez les propos suivants. Comment réagissez-vous ?

« Ici, il n'y a pas de création d'emplois stables. Quelques restaurants ou magasins d'artisanat qui ferment un an après leur ouverture. C'est tout. »

« Il n'y a rien ici qui puisse attirer des jeunes originaires d'autres régions. »

« La délocalisation, c'est pas pour nous. Qui va venir s'enterrer ici ? »

LA LOZÈRE SE REPEUPLE !

En 1881, 143 000 habitants ; la moitié un siècle plus tard : la Lozère dépérissait. Le département des sources et des hameaux cumulait même les records : moins de dix feux rouges sur l'ensemble du département. Le pays, véritable désert à sept heures de route de Paris, sentait la misère. Et puis, la surprise. Divine. La population lozérienne, 72 825 habitants au recensement de 1990, passe à 73 100 habitants en janvier 1993. « Le pays le plus désolé du monde » a gagné 275 habitants. *« Les Lozériens attendaient depuis cent ans un tel résultat »*, souligne Janine Bardou, ancienne présidente du conseil général. Redressement fragile, mais frémissement sensible. Un signe : les écoles de certaines communes de montagne ont rouvert des classes.

Les patrons de l'auberge de Malassagne sont venus s'installer, en 1993, dans ce hameau perdu. Ils étaient informaticiens à Paris. Ils ont eu « le coup de foudre » pour ce bout du monde. Reconversion réussie, avec le sourire : *« C'est vrai que, à Mende, quand trois voitures se suivent on dit : quel embouteillage ! »* Mais c'est ce calme, précisément, qu'ils sont venus chercher. *« Une certaine qualité de vie. »*

Jean-Christophe Richard, lui, s'est établi avec femme et enfant à Grandrieu, 900 habitants, au cœur du plateau de la Margeride. Pour renouer avec ses origines. Et parce que, après avoir vécu à Metz, à Montpellier, à Épinal, il ne voulait plus vivre en ville. *« J'ai trouvé ici un accueil chaleureux et une authentique vie sociale. »* Jean-Christophe est bûcheron : dans un département qui produit, bon an mal an, ses 30 000 mètres cubes de bois, le travail ne manque pas. Quant à cette *executive woman* soucieuse de tranquillité et d'anonymat, elle s'est installée plus au nord et ne perd pas de temps. Outils de travail : un téléphone, un ordinateur et un fax. De quoi exercer ses talents de conseil en entreprises dans toute la France.

« Il y avait cette année un poste d'attaché à pourvoir au conseil général. Pour ce type de concours, nous avions généralement trois ou quatre candidatures : cette fois, nous en avons reçu plus d'une cinquantaine ! » s'extasie Janine Bardou, qui savoure sa revanche : les experts ne lui prédisaient-ils pas une fin de siècle catastrophique – moins de 60 000 habitants – pour son département ? [...]

Christian Boidin, directeur départemental du Crédit agricole, confirme avec enthousiasme. C'est lui qui a organisé, en 1994, la délocalisation de Montpellier à Mende de plusieurs services de sa banque [...] Trente cadres qui sont venus s'installer à Mende avec leurs familles, soit une centaine de personnes – 1 % de la population de la ville ! Sans regrets pour personne.

Sébastien Fontenelle,
L'Événement du Jeudi, juin 1995.

9 La lettre de demande d'informations

a. **Prenez connaissance des documents suivants :**

1. ***Début février, M. et Mme Clapton, Américains francophones vivant à New York, découvrent dans un journal français l'annonce ci-dessous.***

À LOUER (toute l'année)
CAP BÉNAT près du LAVANDOU
Maison tout confort – 4 chambres + cabane dans domaine privé boisé
Vue magnifique sur la mer – Accès particulier au bord de mer.
Prix variables selon saison.
Mme ROJA, 21 avenue du Général-de-Gaulle
HYÈRES

2. ***M. et Mme Clapton, qui souhaitent passer le mois d'août sur la Côte d'Azur, sont intéressés par cette annonce. Ils consultent leur guide touristique.***

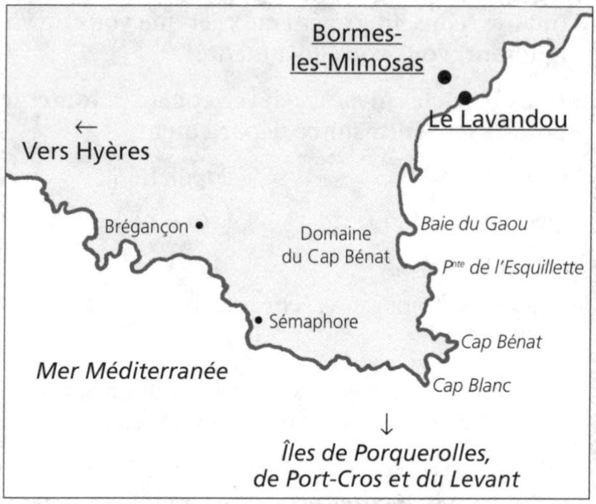

Au sortir du Lavandou, la chaîne des Maures se rapproche complètement de la mer, dans laquelle viennent brusquement plonger ses derniers contreforts. La route, bordée de fleurs et de pins, suit d'assez haut le rivage formé d'une succession de petits promontoires et de plages de sable fin.

▷ **Le cap Bénat** PROPRIÉTÉ PRIVÉE

Séparant la rade d'Hyères de celle de Bormes, le cap est bordé de petites criques. Un sentier littoral (B3446/E) permet d'aller jusqu'à la pointe du Port-qui-Pisse (14 km A.R, pour marcheurs entraînés). La découverte du cap Bénat par voie maritime (bateaux au départ du Lavandou) est très belle : vers l'extrémité du cap on aperçoit le château du cap Bénat, le château de Retz (XVIIe s.), le sémaphore et le phare. Face à la pointe S.-O., le fort de Brégançon.

▷ **Le Lavandou**

Ancien village de pêcheurs, c'est aujourd'hui une station balnéaire renommée. Elle se développe le long d'une belle plage de sable au fond de la rade de Bormes, abritée à l'O. par le cap Bénat.

On fait généralement venir son nom du mot « lavande », certains le font, plus prosaïquement, dériver de « lavoir ». Le centre de la ville est la place Ernest-Reyer où s'élève l'hôtel de ville (1931). Elle s'ouvre sur le joli boulevard-promenade qui longe la plage. En face, on aperçoit les îles du Levant et Port-Cros, pour lesquelles on peut embarquer toute l'année.

La traversée pour Porquerolles (50 mn) offre de beaux points de vue sur Bénat et Brégançon (juil-août : tlj, le reste de l'année, merc. et vend. ; tél. 04.94.71.01.02)

Provence, Alpes, Côte d'Azur, Guides Bleus, Hachette, 1991.

3. ***Le 10 février, Mme Clapton écrit à la propriétaire de la maison du cap Bénat pour lui demander des informations complémentaires.***

4. ***Quelque temps après, elle reçoit la lettre suivante.***

Hyères, le 20 février

Madame,

En réponse à votre lettre du 10 février, je vous confirme que la maison du cap Bénat est libre pendant le mois d'août. Si vous décidiez de la louer, il serait souhaitable que vous m'en informiez le plus rapidement possible car les premières réservations pour l'été risquent de me parvenir très vite.

Je vous donne bien volontiers les renseignements que vous m'avez demandés.

L'accès au cap Bénat par les transports publics est assez compliqué : train ou avion jusqu'à Hyères, autocar jusqu'au Lavandou (30 minutes environ), puis taxi (4 km) jusqu'au domaine.

Il est donc fortement conseillé de disposer d'une voiture pour faire les courses et visiter la région. Il existe un supermarché à 3 km de la maison sur la route du Lavandou et bien sûr de nombreux commerces au Lavandou et à Bormes.

La maison dispose de son propre parc situé dans le domaine privé du cap Bénat. Elle est donc isolée et les maisons voisines sont à plus de 100 mètres, cachées par la verdure. Construite en hauteur, elle domine la mer (vue magnifique depuis les baies du salon et d'une des chambres). La petite route qui conduit au domaine est gardée en permanence. Elle ne peut être empruntée que par les résidents et leurs visiteurs. L'accès au bord de mer se fait par plusieurs sentiers en escaliers.

Les chambres sont au nombre de quatre : deux chambres avec un grand lit et les deux autres avec deux lits d'une place. En été, la cabane située à une trentaine de mètres de la maison peut constituer une chambre d'appoint puisqu'elle contient un grand lit. Toutefois, elle ne dispose d'aucun confort. Il s'agit avant tout d'un espace de jeu pour les enfants.

Vous me demandez si la maison pourrait convenir à un handicapé et à de très jeunes enfants. Je ne peux que vous répondre que la maison et sa terrasse forment un espace de 300 m² de plain-pied. Dès qu'on quitte cet espace, le terrain est très accidenté : 40 marches d'escaliers pour passer du parking à la maison, sentiers escarpés pour se promener dans le parc.

Enfin, les modalités de paiement sont les suivantes : un quart de la location doit me parvenir en même temps que la réservation, le solde étant versé le jour de l'installation.

En espérant vous compter parmi mes locataires de cette année et en restant à votre disposition pour tous renseignements complémentaires, je vous prie d'agréer, Madame, l'expression de mes salutations distinguées.

Flore ROJA

b. À partir des documents (1) et (2), faites la liste des avantages de la maison du cap Bénat comme maison de vacances.

c. À partir du document (4), recensez les souhaits et les préoccupations de M. et Mme Clapton.

Exemple : – souhaitent louer la maison pendant le mois d'août.

d. En tenant compte de l'ensemble des documents, imaginez et rédigez la lettre de demande d'informations que Mme Clapton a adressée à Mme Roja le 10 février (situation 3). Revoyez auparavant les formules et les conseils donnés dans ce cahier, p. 60 et 61, et dans le livre de l'élève, p. 74.

10 Commentaire de documents

Lisez les trois articles des pages 124 et 125. Chacun présente une personne qui exerce une activité de façon atypique, originale, non conventionnelle. Pour chaque article :

a. Définissez ce qui fait l'originalité de ces comportements. Expliquez (en faisant des suppositions le cas échéant) ce qui a poussé ces personnes à agir ainsi.

b. Donnez un titre et un sous-titre à chaque article.

c. Commentez ces aventures personnelles. Montrez qu'elles sont révélatrices d'une époque avec ses problèmes, ses valeurs, ses mentalités, ses comportements. Donnez d'autres exemples d'aventures individuelles semblables.

d. Vous êtes producteur de cinéma et vous décidez de faire un film à partir d'une de ces aventures singulières. Laquelle choisiriez-vous ? Argumentez votre choix en rédigeant une ou deux phrases sur chacun des points suivants :

- Un sujet original...
- Le reflet des préoccupations d'une époque...
- Une étude de caractère...
- Un sujet qui permet...

C'était le 24 avril 1993. Il faisait nuit lorsque Max Valentin a enseveli, à 80 centimètres sous terre, dans un lieu public quelque part en France, une chouette d'une valeur de 1 million de francs. Depuis cette date, plus de cinquante mille personnes se sont lancées dans cette chasse au trésor d'un nouveau style après avoir acheté le livre de Max Valentin, *Sur la trace de la chouette d'or* (*), donnant tous les indices pour retrouver l'oiseau aux cinq cents diamants, sculpté par Michel Becker.

Les chercheurs sont rapidement devenus de véritables fanatiques. Certains se vouent à leur passion de façon individuelle et s'enferment dans leurs réflexions. D'autres s'organisent en équipes ou en clubs, se rencontrant dans des lieux tenus secrets. Tous communiquent par Minitel sous le couvert de mystérieux pseudonymes, comme Kloup, Livingstone ou Dr Jones. Le 3615 Maxval[1] a enregistré plus de deux cent mille messages depuis sa création. Max Valentin, qui est le seul habilité à répondre aux questions posées, a déjà traité plus de vingt-cinq mille sujets [...].

– Je pense qu'ils sont environ 15 000, dont 5 000 sont assidus et 600 fous furieux, estime Max Valentin.

Fou furieux. Il n'emploie pas ce mot au hasard. L'un d'eux a d'ailleurs été placé dans une maison de repos. Car ce n'est plus ni le jeu ni l'appât du gain qui les attire ; leur passion est réellement maladive.

– Un collectionneur m'a proposé 3 millions de francs, trois fois le prix de la chouette, pour que je lui livre les clés de l'énigme.

Bertil Scali, *V.S.D.*, décembre 1994.
(* Editions Hervé Max Valentin)

1. Il s'agit d'un numéro de messagerie par Minitel.

L'aventure a commencé sans surprises. En mars 1991, après des études d'ingénieur agronome à Montpellier, Philippe Boumard part au Sénégal, à Bambey, faire un an de coopération[1]. Dans l'institut de recherches agricoles où il travaille sur la prévision des rendements locaux, Philippe se lie avec Pape Samba Dia, un ouvrier agricole de 35 ans, qui l'entraîne à Dakar. Dans la capitale, le jeune coopérant repère immédiatement le théâtre Daniel-Sorano, inauguré par Léopold Senghor[2] en 1965. « *J'avais le virus du théâtre*, explique-t-il. *À Montpellier, je suivais des cours au conservatoire. Un jour, j'ai poussé la porte du théâtre Sorano. J'ai eu une chance folle.* » Le directeur de la troupe cherche justement un comédien pour un rôle de gouverneur. Un Blanc, c'est l'idéal. Un mois plus tard, Philippe joue devant 1 200 personnes lors d'une soirée de gala en l'honneur du président de la République, Abdou Diouf. « *La trouille de ma vie et un trou de mémoire mémorable*, se souvient Philippe. *Mais cette soirée a tout déclenché.* »

Sollicité par la télévision sénégalaise, l'agronome est à nouveau gouverneur. Il incarne cette fois Faidherbe, représentant de la France de 1854 à 1865. Six mois de tournage pour retracer, en dix épisodes, la vie de Lat-Dior, héros national et grande figure de l'anticolonialisme. Quelques Français lui rendent visite et rentrent impressionnés. Avec une barbe qui a poussé pour les besoins du rôle et dix kilos en moins, Boumard est méconnaissable. Heureux aussi. Apprécié des Africains, populaire, il s'est installé à Dakar, dans la famille de Pape. Entre deux répétitions, il aide les paysans d'un petit village à mettre en place un périmètre cultivable. En novembre dernier, lorsque la troupe part en tournée en France jouer *La Mort et l'écuyer du roi* de Wole Soyinka (prix Nobel de littérature), Philippe y voit un signe : il est temps de rentrer. Et de chercher une O.N.G.[3] qui lui donne les moyens d'asseoir des projets de développement.

Anne Crignon,
Le Nouvel Observateur,
25 mai 1995.

1. Avant la suppression progressive du service militaire, les Français ayant une formation professionnelle dans certains domaines (technique, médical, éducatif) pouvaient remplacer le service militaire par un service civil : exercer leur activité professionnelle dans un pays en développement. – 2. Homme d'État et poète sénégalais. – 3. Organisation non gouvernementale (en général, il s'agit d'une association à but humanitaire ou caritatif).

À tout bien considérer, il est finalement assez cohérent qu'un homme confronté à une impasse psychologique[1] soit transporté de bonheur à l'idée de construire une route de dégagement[2]. Les choses deviennent plus complexes lorsque, désireux de mener cette lubie[3] à terme, il choisit un site dans la campagne sarthoise[4], y installe réellement des baraques de travaux, emprunte des fonds dans une banque locale, embauche 24 ouvriers hautement qualifiés, monte une grue de 70 tonnes, loue 15 gros engins de terrassement, et lance hommes et machines à l'assaut de quelques milliers de mètres carrés de terre censés abriter « *la base technique de l'autoroute A 28 Alençon-Le Mans-Tours* ». Deux mois durant, sans relâche et avec une grande compétence, Philippe B., 43 ans, dirigea donc quotidiennement cet ouvrage aussi virtuel que monumental, ouvrant une voie qui ne menait nulle part, œuvrant corps et âme au cœur d'un chantier n'ayant d'autre objet que de satisfaire son désir effréné[5] de recruter et de conduire une équipe de travaux publics. Lorsque le 17 mars les gendarmes de Saint-Mamert, informés de la supercherie, interpellèrent[6] Philippe B.,

celui-ci rangea sagement son 4×4 rouge vif sur le bas-côté de la route et ne fit aucune difficulté pour reconnaître les faits. Sur le ton du contremaître déçu de ne pouvoir mener son projet à terme, il ajouta simplement : « *Vous m'arrêtez vingt-quatre heures trop tôt. Demain, j'avais rendez-vous avec le ministre des Télécommunications, François Fillon. J'allais lui expliquer de quelle manière je comptais noyer les câbles téléphoniques dans les soubassements de l'autoroute.* »

Jean-Paul Dubois,
Le Nouvel Observateur,
avril 1997.

1. Problème psychologique sans solution. – 2. Ici, il s'agit d'une route provisoire permettant la circulation des engins qui devaient construire l'autoroute. – 3. Caprice. – 4. Le département de la Sarthe se trouve entre la Loire et la Normandie. – 5. Qu'on ne peut pas retenir. – 6. Arrêter (terme juridique).

LITTÉRATURE

11 Récit de voyage

a. Première partie du texte. Lisez la première partie de ce récit autobiographique de Paul-Louis Courier.

- **Résumez en une phrase le déroulement des évènements.**
- **Caractérisez l'atmosphère créée par Paul-Louis Courier en choisissant parmi les adjectifs suivants :**

inquiétante – originale – pittoresque – réaliste – sinistre – terrorisante – effrayante

- **Relevez et classez les détails qui permettent de créer cette atmosphère.**

→ Les Calabrais : méchants – malintentionnés à l'égard des Français

→ …

- **Imaginez d'autres manifestations de l'imprudence du compagnon du narrateur.**

b. Deuxième partie du texte. Au fur et à mesure de votre lecture, notez les évènements dont le narrateur est témoin et ce qu'il imagine.

L'hôte et sa femme parlent et se disputent → le narrateur pense qu'il s'agit de lui et de son compagnon

- **Comparez l'image qui était donnée de la famille de Calabrais au début du récit avec celle qu'on garde en souvenir à la fin.**

Officier de l'armée de Napoléon Ier, Paul-Louis Courier raconte une aventure qui lui est arrivée en Calabre, dans l'extrême sud de l'Italie. La région est alors occupée par les armées napoléoniennes et les Calabrais considèrent tout naturellement les Français comme leurs ennemis.

Un jour je voyageais en Calabre. C'est un pays de méchantes gens, qui, je crois, n'aiment personne, et en veulent surtout aux Français […].

Dans ces montagnes les chemins sont des précipices, nos chevaux marchaient avec beaucoup de peine : mon camarade[1] allant devant, un sentier qui lui parut plus praticable et plus court nous égara. Ce fut ma faute : devais-je me fier à une tête de vingt ans ? Nous cherchâmes, tant qu'il fit jour, notre chemin à travers ces bois ; mais plus nous cherchions, plus nous nous perdions, et il était nuit noire quand nous arrivâmes près d'une maison fort noire. Nous y entrâmes, non sans soupçon, mais comment faire ? Là, nous trouvons toute une famille de charbonniers[2] à table, où du premier mot on nous invita. Mon jeune homme ne se fit pas prier : nous voilà mangeant et buvant, lui du moins, car pour moi j'examinais le lieu et la mine de nos hôtes. Nos hôtes avaient bien mines de charbonniers ; mais la maison, vous l'eussiez prise pour un arsenal[3]. Ce n'étaient que fusils, pistolets, sabres, couteaux, coutelas. Tout me déplut, et je vis bien que je déplaisais aussi. Mon camarade, au contraire, il était de la famille, il riait, il causait avec eux ; et par une imprudence que j'aurais dû prévoir (mais quoi ! s'il était écrit …) il dit d'abord d'où nous venions, où nous allions, qui nous étions ; […].

1. Il s'agit d'un jeune soldat qui accompagne l'officier.
2. Forestiers qui fabriquent du charbon de bois.
3. Lieu où l'on entrepose les armes.

A .J. Gros, *Bonaparte au pont d'Arcole*, musée du Louvre, 1796.

Après le repas, les voyageurs perdus sont conduits dans leur chambre située au premier étage. Le compagnon de Paul-Louis Courier s'endort aussitôt. Le narrateur, inquiet, décide de veiller.

La nuit s'était déjà passée presque entière assez tranquillement, et je commençais à me rassurer, quand sur l'heure où il me semblait que le jour ne pouvait être loin, j'entendis au-dessous de moi notre hôte et sa femme parler et se disputer ; et prêtant l'oreille par la cheminée qui communiquait avec celle d'en bas, je distinguai parfaitement ces propres mots du mari : *Eh bien ! enfin voyons, faut-il les tuer tous deux ?* À quoi la femme répondit : *Oui.* Et je n'entendis plus rien.

Que vous dirai-je ? je restai respirant à peine, tout mon corps froid comme un marbre ; à me voir, vous n'eussiez su si j'étais mort ou vivant. Dieu ! quand j'y pense encore !... Nous deux presque sans armes, contre eux douze ou quinze qui en avaient tant ! et mon camarade mort de sommeil et de fatigue ! L'appeler, faire du bruit, je n'osais : m'échapper tout seul, je ne pouvais ; la fenêtre n'était guère haute, mais en bas deux gros dogues[4] hurlant comme des loups... En quelle peine je me trouvais, imaginez-le, si vous pouvez.

Au bout d'un quart d'heure qui fut long, j'entends sur l'escalier quelqu'un, et par les fentes de la porte, je vis le père, sa lampe dans une main, dans l'autre un de ses grands couteaux. Il montait, sa femme après lui : moi derrière la porte : il ouvrit, mais avant d'entrer il posa la lampe que sa femme vint prendre ; puis il entre pieds nus, et elle de dehors lui disait à voix basse, masquant avec ses doigts le trop de lumière de la lampe : *Doucement, va doucement.* Quand il fut à l'échelle, il monte, son couteau dans les dents, et venu à la hauteur du lit, ce pauvre jeune homme étendu offrant sa gorge découverte, d'une main il prend son couteau, et de l'autre... Il saisit un jambon qui pendait au plancher[5] en coupe une tranche et se retire comme il était venu. La porte se referme, la lampe s'en va, et je reste seul à mes réflexions.

Dès que le jour parut, toute la famille, à grand bruit, vint nous éveiller, comme nous l'avions recommandé. On apporte à manger : on sert un déjeuner fort propre, fort bon, je vous assure. Deux chapons[6] en faisaient partie, dont il fallait, dit notre hôtesse, emporter l'un et manger l'autre. En les voyant, je compris enfin le sens de ces terribles mots : *faut-il les tuer tous deux ?*

Paul-Louis Courier, *Lettres de France et d'Italie* (1807).

4. Chiens de garde.
5. La pièce est sans plafond. Le jambon est accroché au plancher de l'étage supérieur.
6. Jeune coq engraissé pour la table.

c. **Littérature et art romantiques.**

- **Dans l'aventure racontée par P.-L. Courier, montrez que les lieux, les personnages et les évènements ont été présentés de façon à renforcer le sentiment éprouvé par l'auteur.**
- **Quels sont les sentiments que veut faire éprouver le peintre du tableau ci-dessus ? Comment y parvient-il (attitude du personnage, éclairage, etc.) ?**

CRÉDITS PHOTOGRAPHIQUES

14 : Explorer/Bertrand ; 15 : Roger-Viollet ; 17 : Sipa/Dalmas ; 22h : Métis/Lambours ; 22b : Roger-Viollet/Lipnitzki ; 33 : Rapho/Doisneau ; 37h : Explorer/Boisveux ; 37b : Sipa/Villard ; 38 : Explorer/Dupont ; 40 : Archives Nathan, D.R. ; 41h : Archives Nathan ; 41b : Explorer/Chazot ; 42h : Rapho/Charles ; 43 : Gamma/Malis-Liaison ; 51 : Ana/Durazzo ; 55 : Archives Nathan ; 58 : Sipa/Harvey ; 59 : Fiat ; 63 : Archives Nathan, D.R. ; 66 : Hanoteau ; 69 : M. Enguerand ; 70 : Rapho/Larrier ; 73h : Charmet ; 73b : Sipa/Gentile ; 84 : Archives Nathan, Bernand ; 87g : Archives Nathan ; 87d : Charmet ; 93 : Vu/Vimenet ; 95 : Archives Nathan/INRP – Musée national de l'Éducation ; 104 et 105 : Archives Nathan : 108 / France Telecom Mobiles ; 112 : D.R. . 114 : Bernand ; 115 : Archives Nathan ; 116 : Ana/Rey ; 125h : Le Nouvel Observateur, D.R. ; 125b : Le Maine Libre/J.-F. Monnier ; 127 / Archives Nathan.

Édition : Marie-Christine Couet-Lannes
Illustrations : Paul Woolfenden
Maquette et mise en page : CND International
Avec la collaboration de Christine Morel

N° de projet : 10067442-(III)-65 - (osbn 80)
Mai 1999
Imprimé en France par Pollina, 85400 Luçon - n°77503.A